La collection
ROMANICHELS
est dirigée par
André Vanasse

Du même auteur

Du stéréotype à la littérature, Montréal, XYZ éditeur, 1994.
Ernesto Sábato. La littérature et les abattoirs de la modernité, Francfort/Madrid, Iberoamericana, 1995.
Sade ou l'ombre des lumières, New York/Paris, Peter Lang, 1997.
Les foires du Pacifique, Hull, Vents d'Ouest, 1998.
Les dépotoirs de la modernité : société, culture et littérature en Amérique latine, Mexico, UNAM, 2001.
Les dépouilles de l'altérité, Montréal, XYZ éditeur, 2004.

La passion des nomades

La publication de cet ouvrage a été rendue possible grâce à l'aide financière du ministère du Patrimoine canadien par l'entremise du Programme d'aide au développement de l'industrie de l'édition (PADIÉ), du Conseil des Arts du Canada (CAC), du ministère de la Culture et des Communications du Québec (MCCQ) et de la Société de développement des entreprises culturelles (SODEC).

XYZ éditeur
1781, rue Saint-Hubert
Montréal (Québec)
H2L 3Z1
Téléphone : 514.525.21.70
Télécopieur : 514.525.75.37
Courriel : info@xyzedit.qc.ca
Site Internet : www.xyzedit.qc.ca

et

Daniel Castillo Durante

Dépôt légal : 1er trimestre 2006
Bibliothèque et Archives Canada
Bibliothèque et Archives nationales du Québec
ISBN 2-89261-455-4

Distribution en librairie :

Au Canada :
Dimedia inc.
539, boulevard Lebeau
Ville Saint-Laurent (Québec)
H4N 1S2
Téléphone : 514.336.39.41
Télécopieur : 514.331.39.16
Courriel : general@dimedia.qc.ca

En Europe :
D.E.Q.
30, rue Gay-Lussac
75005 Paris, France
Téléphone : 1.43.54.49.02
Télécopieur : 1.43.54.39.15
Courriel : liquebec@noos.fr

Droits internationaux : André Vanasse, 514.525.21.70, poste 25
andre.vanasse@xyzedit.qc.ca

Conception typographique et montage : Édiscript enr.
Maquette de la couverture : Zirval Design
Photographie de l'auteur : Christian Vandendorpe
Illustration de la couverture : William Etty, *Héro et Léandre*, 1828-1829
Illustration des pages de garde : détail de la couverture

Daniel Castillo Durante

La passion des nomades

roman

XYZ
éditeur

Romanichels

Remerciements

J'exprime ici ma reconnaissance la plus vive à André Vanasse, lecteur avisé et généreux, qui a toujours été là lorsque le doute et l'incertitude voilaient mon texte.

Michèle Vanasse, quant à elle, a tout fait pour assurer la meilleure production possible à l'ouvrage.

Je remercie Gaëtan Lévesque, Julie Delorme, Silvia et Gabriel pour leur soutien chaleureux.

1

Mort du consul Juan Carlos Olmos au Québec
  Vers la fin de l'après-midi d'une journée particulièrement chaude, on vit le Consul au bord du lac. Il était dans un endroit où l'à-pic des collines oblige les maisons à se tenir loin de l'eau. Concentré dans la lecture d'un livre, il donnait l'impression d'être tout à fait à l'aise dans la solitude des montagnes. Le geste enthousiaste de bienvenue, ou peut-être de reconnaissance, qu'il fit soudainement avec la main déployée attira l'attention des estivants sur la rive opposée. La seule plage de sable du lac s'y trouve, dans une baie peuplée de sapins. Au moment d'abandonner sa chaise longue posée à même l'embarcadère, plus d'un regard oisif l'accompagna jusqu'au sommet de la falaise. Indifférent à la curiosité que son attitude éveillait, il se mit à gravir l'escalier en fer, tortueux et abrupt, qui conduit au chalet. À partir de là, les témoignages divergent. Pendant les dernières marches, le fonctionnaire — vu de dos — aurait ralenti sous le poids d'une menace située en dehors du champ de vision des spectateurs; d'autres prétendent que l'escarpement du talus sur lequel s'accroche l'escalier serait de nature à faire fléchir des jambes beaucoup plus jeunes que les siennes. Il y en a même qui suggèrent une insuffisance cardiorespiratoire, eu égard aux symptômes d'étouffement ayant gagné, paraît-il, son corps à la fin de l'ascension. En revanche, une fois sur la terrasse donnant accès à la propriété, tous s'accordent pour dire que ses pas furent

*de nouveau ceux d'un homme habitué à aller de l'avant. Or, tout
à coup, devant la porte principale, il tourna les talons, accusant
l'impact de trois détonations dans le dos. Les tirs seraient venus
de l'intérieur, bien que les arbres touffus entourant la maison
empêchent de l'affirmer. Aussi, les témoins soulignent-ils que le
diplomate marcha en titubant jusqu'à une balustrade en bois, et,
tout comme un pantin qui cherche en vain à s'approprier les fils
qui l'animent, il se précipita dans le vide.*

Cette description pour le moins étrange était arrivée
d'Ottawa par valise diplomatique. Écrite par un diplomate
qui confondait roman policier avec rapport nécrologique,
elle était destinée au fils du défunt. Avant qu'il ne vienne la
lire dans un ministère décrépit de Buenos Aires, Gabriel
Olmos dut se frotter aux odeurs de friture de l'immeuble
où il habitait. Tandis qu'il dormait à poings fermés sur un
matelas posé par terre, une odeur pénétrante se glissa dans
son appartement. Tiré du sommeil par les émanations
entêtantes du lard grillé, il n'eut même pas le temps de
pester contre des voisins que le manque d'argent condam-
nait à la malbouffe. Des haut-le-cœur prenant le dessus sur
lui, il vomit à l'heure où Buenos Aires se remettait à peine
de ses excès de la veille.

Encore un réveil de trop à San Telmo, quartier populaire de la capitale argentine. Il regretta de ne pas avoir
quitté le pays comme la plupart des jeunes de sa génération. Ce fut à ce moment-là que le téléphone retentit à côté
de son lit de fortune.

— Allô?

— Gabriel Olmos?

La voix anonyme qui l'interrogeait avait été précédée
par le signal d'un appel d'outre-mer.

Était-ce pour lui demander son nom qu'on lui télépho-
nait de l'étranger de si bonne heure? réfléchit-il, renfrogné.

— «Gabriel Olmos», dites-vous? Ce nom me dit quelque chose.

— Excusez-moi, je n'entends pas très bien. J'appelle de l'ambassade argentine à Ottawa. Ça fait trois jours que nous essayons d'entrer en contact avec Gabriel Olmos.

— Ottawa? Pourquoi ne choisissez-vous pas une ville moins froide pour m'appeler de si bonne heure? demanda-t-il en maîtrisant mal sa mauvaise humeur.

— Êtes-vous le fils de Juan Carlos Olmos, le consul argentin à Montréal?

— Disons que le consul Olmos est le père d'un des nombreux chômeurs qui traînent par ici.

— Veuillez prendre ce que nous vous communiquons avec beaucoup de courage. Pour davantage de renseignements, il va falloir que vous vous rendiez dans les bureaux du ministère des Relations extérieures à Buenos Aires.

Cette voix qui cachait son anonymat derrière la première personne du pluriel l'irritait passablement.

— Voilà ce que nous avons à vous dire: la police a retrouvé le cadavre de votre père au pied d'une falaise dans les Laurentides, au Québec. Si nous nous reportons aux premiers éléments de l'enquête, tout porte à croire qu'il a été tué sans raison apparente.

En dépit d'une certaine retenue diplomatique, la gravité du message le fit se plier en deux. Un crochet de Mike Tyson dans l'estomac n'aurait pas eu un effet plus dévastateur. Or, curieusement, il n'éprouvait aucune douleur. Ni physique ni morale. Sa parole, par contre, demeurait suspendue entre ciel et terre. Gelée, en quelque sorte. La disparition soudaine de son père le plongeait dans une sorte de léthargie hypnotique. Et voilà aussi que, contre toute attente, la mémoire du défunt, nette et précise, vint le chercher. Comment pleurer la perte d'un père alors que sa voix refaisait surface dans sa conscience? Jamais elle n'avait paru aussi *vivante*, cette voix. Était-ce donc ça, le deuil ?

À peu près certain que son père ne l'avait pas aimé, il ne s'était pourtant jamais permis de souhaiter sa mort. Aussi s'était-il résigné à endurer des silences de plus en plus longs. Le dernier coïncidait jour pour jour avec le séjour du Consul à Montréal. En cette occasion, Gabriel avait téléphoné à son père pour le féliciter d'avoir été nommé dans une région du monde que le cliché réduisait à un bloc de glace. « J'espère que le froid nous rapprochera encore davantage. » Ce message paradoxal, pris en note par une secrétaire plutôt gênée, avait été transmis à Vancouver où le Consul se trouvait en mission ce jour-là. En vain, il avait attendu que son père le rappelle.

Quand il était petit, son père préférait s'encanailler avec de jeunes débauchées des quartiers pauvres de Buenos Aires plutôt que de rentrer chez lui à l'heure du souper. L'après-midi d'un dimanche encore plus triste que les autres, sa mère s'était enfin décidée à abandonner la maison. En ce temps-là, le salaire du père était épuisé au milieu du mois et il fallait subsister à crédit durant la deuxième quinzaine. Il l'avait eu jeune, ce fils unique dont la seule présence semblait l'agacer. Cependant, derrière l'énervement du père, ou à côté, il y avait quelquefois une voix qui décrivait le monde avec beaucoup d'imagination. Ses récits de voyage, notamment, souvent inventés de toutes pièces, retenaient l'attention du fils. Alors il pouvait l'écouter pendant des heures sans se fatiguer.

Tout à coup, il ressentit le besoin urgent de savoir ce qui était arrivé à son père. Après avoir bu une tasse de café dans la cuisine, il alla prendre une douche. Puis il quitta l'appartement en claquant la porte dans l'espoir de chasser les mauvaises odeurs. Il évita l'ascenseur dont les câbles usés jusqu'à la corde menaçaient de lâcher à tout moment. Le refrain d'une vieille chanson lui vint à l'esprit (« saute, saute, saute, petite langouste… ») alors qu'il descendait l'escalier.

Habillé d'un vieux costume noir déniché au fond d'un placard, il emprunta la rue Perú jusqu'à Florida. La cravate en soie, passablement froissée, avait du mal à tenir en place. Florida, la rue piétonnière, étalait des boutiques de luxe et une faune urbaine au pas pressé. Des grappes d'adolescentes faisaient le pied de grue sur le trottoir. Les filles en minijupe dont chaque déhanchement faisait saliver les mâles le laissèrent indifférent. La brusque disparition de son père l'ayant totalement pris au dépourvu, il sentait que la mort du Consul le dépossédait de son temps.

Il attendit dans un bureau délabré jusqu'à ce qu'un petit fonctionnaire à la mine grise lui fasse lire un document officiel qui, dans un style plutôt littéraire, sinon ampoulé, décrivait les derniers pas du Consul au Québec. À la fin de sa lecture, il entendit la voix monocorde du fonctionnaire :

— Nous ignorons tout ce qui ne figure pas dans ce document, mais je peux vous assurer que nous ferons de notre mieux pour nous acquitter de nos tâches.

— Puis-je savoir en quoi consistent vos tâches, monsieur ? demanda-t-il sur un ton poli, soucieux de ne pas froisser le fonctionnaire.

— Éclaircir les circonstances du décès de votre père.

— Pensez-vous que cela soit possible de le faire à partir d'ici ?

Le regard du bureaucrate s'était visiblement assombri.

— On ne peut pas dire aux autorités canadiennes comment diriger leur enquête.

Comment interroger la langue de bois qui s'était emparée de la mort de son père ? Tant qu'il serait à Buenos Aires, la disparition du Consul resterait une énigme.

Excédé par le silence du fonctionnaire, il posa une nouvelle question :

— Ce n'est pas la première fois qu'un Argentin est assassiné à l'étranger, n'est-ce pas ? Qu'est-ce que vous faites dans des cas semblables ?

— Nous nous mettons immédiatement en contact avec la famille de la victime.

— Puis après ?

— Après ? C'est simple, nous espérons que le cas soit résolu conformément aux ententes internationales en la matière.

— Et si rien ne se passe ?

— Il se passe toujours quelque chose, même quand on croit qu'il ne se passe rien.

Une certaine impatience gagnait la voix de son interlocuteur. Alors il n'eut d'autre solution que de hâter sa demande :

— Je dois me rendre à Montréal, mais je suis sans le sou ; il faut qu'on m'aide.

L'interpellé garda le silence pendant de longues secondes puis, baissant d'un cran le ton de sa voix, il expliqua :

— La loi argentine stipule que la dépouille doit être rapatriée. Vous n'avez pas besoin d'aller la chercher personnellement, elle viendra toute seule.

— J'ai besoin de savoir ce qui est arrivé à mon père, monsieur.

— On lui a tiré trois coups de feu dans le dos. Voilà ce qui lui est malheureusement arrivé.

— Pourquoi ? Qui a pu faire ça ?

L'homme à la mine grise le regarda sans broncher.

— Le meurtre a eu lieu en dehors de nos frontières. Notre marge de manœuvre est réduite, je regrette de vous le dire comme ça.

— Voilà pourquoi je dois prendre l'avion, comprenez-vous ?

— Notre pays, hélas ! est en faillite.

— J'ai besoin de savoir ce qui est arrivé à mon père.

Ces mots ayant résonné comme un mantra, il s'aperçut qu'il parlait sans réfléchir. Alors il ne dit plus rien.

Tête basse, il regagna la sortie. Pendant qu'il traversait la rue, une Mercedes C Kompressor noire avec un Chinois chauve au volant faillit l'écraser. Il pensa, mi-sarcastique, mi-bouleversé, qu'à un cheveu près tout aurait pu s'arrêter là pour lui. Sur la place San Martín, il se mit à faire les cent pas autour de la statue du *Libertador*. Heureusement qu'on trouvait encore au milieu de tous ces immeubles un lieu public pour accueillir la dépouille équestre de l'Argentin qui avait libéré le Pérou de la cupidité espagnole. Il se rappela alors les années vécues à Lima, dans un quartier pauvre au bord de l'océan. Du haut d'une lucarne, il contemplait les côtes abruptes barrant le Pacifique. Là-bas, pour la première fois, son regard d'enfant découvrit un cadavre. Il s'agissait d'un Indien pour qui le précipice était le chemin le plus court pour rentrer chez lui. Plus tard, sa mère lui apprendrait que ceux qui se lançaient dans le vide avaient le goût de la coca entre les dents. Leurs restes flottaient comme des troncs à la dérive jusqu'à ce que le vol circulaire des vautours indiquât le lieu exact où la mer les expulsait, enveloppés d'algues et d'écume. Des voisins ayant prévenu son père qu'un enfant ne devait pas jouer dans un lieu si hanté par la mort, le père leur avait rétorqué qu'il était plutôt encourageant de faire planer des cerfs-volants là où des hommes sombraient dans le vide. Pour une fois, il avait senti que son père était fier de son action. C'était d'ailleurs la seule occasion où il l'avait entendu dire quelque chose d'élogieux à son égard. L'éloge d'un père,

..sait-il à présent, était comme la première fois que l'on ɔniffe de la cocaïne et que l'on sent que le corps, loin d'être un obstacle, est le meilleur escalier pour rejoindre la mer.

Ça faisait un bon quart d'heure qu'il marchait autour de la statue lorsqu'une vieille en guenilles s'approcha de lui. Un sac en plastique couvrait sa tête.

— Jusqu'à quand tu vas tourner ici comme une toupie? Tu vois pas que tu le déranges, lui?

Sa voix cassée avait chassé le dernier pigeon qui roucoulait encore au pied de la statue de San Martín. Sans attendre la moindre réponse, elle enchaîna:

— Je t'ai à l'œil depuis que t'es arrivé. T'as réussi à échapper au Chinois qui fauche les fauchés. T'as eu de la chance, tu sais. C'est rare qu'il loupe sa cible. C'est pour ça que je bouge pas d'ici, moi. Il osera jamais s'attaquer à notre héros national, tu piges?

D'un geste théâtral, elle montra le général San Martín, libérateur de l'Argentine, du Pérou et du Chili. L'homme qui, d'un seul coup d'épée, avait affranchi trois peuples du joug de l'Europe.

Le regard de la vieille était rugueux comme de l'asphalte.

— J'ai hâte que tu t'en ailles. Compris?

Avant de se mettre à faire les cent pas autour de la statue, il avait repéré la mendiante assise sous un arbre bien plus vieux qu'elle. Maintenant, il se rendait compte que même les lieux publics pouvaient faire l'objet d'une dispute territoriale. Elle était là avant lui. La vieille n'avait sans doute que ce lopin de terre auquel s'accrocher. Pourquoi lui faire croire qu'il cherchait, lui aussi, à s'y incruster? Tout en jetant un coup d'œil circulaire, il se prépara à déguerpir.

Du haut de sa monture, le héros éponyme chevauchait la place avec l'air de quelqu'un qui cherche les Andes.

La circulation chaotique du centre-ville ne respectait pas toujours les trottoirs. L'étroitesse de certaines rues les rendait dangereuses. Cela expliquait probablement pourquoi on n'y voyait pas de vieux. Après une longue marche, il se retrouva devant l'immeuble où habitait sa mère. Il ne s'était pas rendu chez elle depuis la fin de l'été. Leur dernière rencontre avait eu lieu à Mar del Plata, où elle passait ses étés au bord de la mer. Un Brésilien petit et trapu avec un bracelet en or au poignet droit se tenait à ses côtés. Elle le menait tambour battant du haut de ses hanches habituées à faire la pluie et le beau temps. Elle portait une robe un peu trop serrée pour des rondeurs qui avaient déjà dépassé leur première jeunesse.

En la revoyant, il constata que tout restait pareil.

— Tiens, tiens, que me vaut l'honneur de ta visite, Gabriel ?

Sa mère se tenait devant lui, enjouée, légère (*glissons, glissons, ne nous accrochons surtout pas*) devant les yeux écarquillés du fils. Elle avait une calebasse de maté à la main droite, seul détail populaire dans son luxueux condo de Recoleta. Cette calebasse, dans laquelle macérait cette boisson stimulante que les Argentins prennent à longueur de journée, était recouverte d'argent de Potosí.

Il avait la gorge serrée. Il n'arrivait pas à s'armer de courage afin de lui annoncer la nouvelle.

— Si tu pouvais lire dans mes yeux, maman, comme quand j'étais petit, ça m'aiderait, tu sais. J'aimerais ne pas avoir à chercher les mots, moi.

— Je sais, tu es trop paresseux pour parler, voilà pourquoi on te voit si peu, dit-elle, un sourire taquin sur les lèvres.

— Papa est mort assassiné, maman, lâcha-t-il de but en blanc.

— …

Il vit les doigts de sa mère se crisper autour de la calebasse.

Combien de fois cette infusion revigorante l'avait-elle aidée dans le passé à endurer les infidélités de son père ? Combien de fois encore penserait-elle à la mort de cet homme en buvant du maté ?

— Qu'est-ce que tu racontes ? On ne blague pas avec ça.

— J'ai lu le rapport ce matin. Trois balles dans le dos, voilà ce qui lui est arrivé.

— Trois balles dans le dos ? répéta-t-elle, interloquée.

— Oui, maman.

— Où ça ?

— Au Québec.

— ...

— Tu ne dis rien, maman ?

Un silence s'écoula, lourd, insupportable. Puis la voix de sa mère sortit tout droit du passé du couple.

— La mort de ton père n'entre dans aucun des mots que je connais, Gabriel. J'ai toujours pensé que je mourrais la première, peut-être parce que son désir était le plus fort.

Jamais elle n'avait été aussi belle. Il pensa à toutes les nuits où sa mère avait dormi seule, sans tendresse. D'abord une larme, puis deux, et ensuite toutes les autres s'étaient mises à dévaler sur ses joues. En vain, il essaya de les arrêter ; elles étaient bien plus fortes que sa honte.

— Ne pleure pas. Les hommes ne pleurent pas, Gabriel.

— Non seulement ils pleurent, maman, ils chient dans leur froc, et ils trahissent dès qu'on leur tourne le dos. Aussi abusent-ils de leur force en salissant tout ce qu'ils touchent. Une et mille fois, j'aurais préféré être femme pour avoir un jour le courage de les quitter, comme toi, maman.

— Je t'en prie, Gabriel, ne recommence pas avec tes vieilles jérémiades. J'étais trop humiliée pour rester à la maison. Mais dès qu'il est parti pour de bon, je t'ai accueilli chez moi. C'est moi qui t'ai élevé toute seule, ne l'oublie jamais. Jamais, tu m'entends ?

— Non, maman, je n'oublie rien, dit-il en sanglotant.

D'un geste digne de Rita Hayworth dans un film des années cinquante, elle sortit un kleenex de l'échancrure de son corsage. Des mouchoirs blancs étaient toujours sortis de la poitrine de sa mère comme les colombes du chapeau d'un magicien.

Après avoir puisé un peu de réconfort dans son maté, elle s'assit dans un fauteuil en cuir noir qui contrastait avec la clarté des murs.

— Qui l'a tué ?

— Je ne sais pas. On l'a criblé de balles, puis il est tombé du haut d'une montagne comme un de ces Indiens qui se jetaient dans le vide à Lima. T'en souviens-tu, maman ?

— Moi, je n'ai jamais été au Pérou, Gabriel. Pourquoi, chaque fois qu'on se rencontre, faut-il que tu me mettes dans un album qui n'est pas le mien ?

— On t'a attendue, maman. Même qu'il disait qu'avec ton retour tout serait comme avant, maman. Autrement, il ne pourrait pas me garder, qu'il disait.

— Tu sais bien qu'il ne voulait que se débarrasser de toi, voyons !

Elle lui fit une place sur le sofa à côté d'elle. Alors il appuya sa tête sur l'épaule de sa maman, puis il ferma les yeux avec l'illusion que quand il les rouvrirait elle lui dirait que tout n'avait été qu'un cauchemar.

— Reste pour le repas de midi. Rosa prépare en ce moment une paella, le plat préféré de Getulio.

— Tu es toujours avec ce nain ? questionna-t-il en redressant la tête.

— Il n'y a pire «nain» que celui qui ne veut pas grandir, Gabriel. Tu es grand comme ton père, mais regarde où il est maintenant.

Il la fixa comme s'il ne la reconnaissait plus. Puis il dit :

— On ne se ressemblait pas du tout, lui et moi, maman.

— Maintenant qu'il est mort, il va falloir que tu te regardes de nouveau dans le miroir.

— Je n'ai jamais aimé mon père. Si je pleure, ce n'est pas pour lui, tu sais.

— C'est justement ce qui m'inquiète, tu ne sais pas pour qui tu pleures, Gabriel.

Il y eut un silence, puis il demanda :

— Maman, maintenant qu'il est mort, penses-tu qu'on va continuer à le haïr comme lorsque j'étais enfant ?

De nouveau dans la rue, des regards crispés et des mines patibulaires accentuèrent l'impression qu'il baignait dans un univers hostile. Il chercha des corps féminins sur lesquels se défausser de son deuil, ne serait-ce que le temps d'un petit café siroté à la sauvette. Tout à coup, la silhouette svelte d'une jeune maman poussant sur le trottoir son nouveau-né attira son regard. Elle portait une robe noire qui moulait avec élégance la cambrure de ses reins. Au milieu de la foule, cette jeune maman progressait avec l'élan d'une locomotive qui transforme en rail tout ce qu'elle touche. Rien ne paraissait la détourner de son chemin. Ses cheveux blonds massés en chignon sur la nuque découvraient un visage aux traits harmonieux. Alors il lui emboîta le pas. Pur-sang entouré de racaille, elle ne regardait pas sur les côtés, seul le droit chemin existait pour elle. Comment aurait-elle pu le voir, lui, personnage incolore et dépourvu de ressources ? Le jaune éclatant de ses cheveux se réverbérait sur la peau mince de ses tempes. Il y a des visages qui, comme la foudre, ne laissent plus rien sur leur passage. Obscurément, il aurait souhaité être anéanti par ce regard hautain et distant.

— Madame, excusez-moi de vous adresser la parole comme ça sans vous connaître, mais dites-moi, pourquoi les gens ont-ils un poing fermé à la place du visage? demanda-t-il.

Contre toute attente, les yeux de la jeune femme se tournèrent vers lui. Alors son cœur se mit à battre la chamade. Sur-le-champ, il comprit que le regard bleu de cette femme lui permettrait d'oublier pendant quelques instants la mort de son père.

— Peut-on sourire quand on vit dans un pays qui a fait faillite? interrogea-t-elle à son tour.

— J'aimerais bien vous inviter à prendre un café.

Il parlait avec un sourire espiègle accroché aux lèvres.

Juste au coin de la rue, un café à la mode — Voces de aquí & de más allá — éparpillait ses tables sur le trottoir. Elle s'y arrêta et, d'un geste précis, immobilisa la poussette au pied d'une table vide.

— On a failli rester à la maison. Les rues sont de plus en plus agitées.

Sa voix était douce, mais une sorte de froideur l'enveloppait. Qui sait? Ça venait peut-être de lui, de la peur qu'il ressentait de ne pas exister aux yeux de cette femme.

Avant même qu'elle ne commençât à boire son café récemment servi, il anticipa le moment où elle reprendrait son chemin comme si de rien n'était. Ni vu ni connu. Que faire pour qu'elle se souvienne d'un quidam de son espèce, alors que, de toute évidence, des dizaines d'hommes riches devaient la courtiser? Sur un coup de tête, il décida de jouer la carte de la sincérité:

— Quelle chance de vous avoir rencontrée. Le hasard fait bien les choses.

Devant son silence, il ajouta:

— Comme ça, on n'a pas le temps de préparer des stratégies de séduction à l'avance.

Elle le regarda comme on regarde un étranger dont on ne comprend pas très bien la langue. Ses yeux étaient si bleus qu'ils ne pouvaient pas être vrais. Il eut presque envie d'y toucher, comme font les enfants pour confirmer leurs impressions.

— Que savez-vous des logiques du hasard?

La voix de la femme semblait parler à quelqu'un d'autre. On aurait dit qu'il n'était qu'un écran ou un intermédiaire.

Au delà du caractère péremptoire de la question, il y avait dans le registre de sa voix une sorte d'inquiétude qui le bouleversait.

— Mon père m'a toujours reproché d'avoir interrompu mes études, se contenta-t-il de répondre.

Sa réponse elliptique demeura suspendue entre ciel et terre. Il parlait doucement, craignant sans doute de voir le bleu de ce regard s'estomper dans l'air. L'inconnue ne dit rien. L'air ailleurs, elle fixait la rue avec l'attention soutenue d'une mère qui conduit l'univers dans sa poussette.

Ils étaient seuls sur la terrasse. Ceux qui s'arrêtaient dans ce café préféraient le bruit et la fumée se tressant à l'intérieur. Dans l'atmosphère saturée de nicotine, leurs vies devaient paraître plus légères. Fumer et se gaver de café, pourquoi ne pas les imiter? *Buenos Aires et ses troquets, orgie perpétuelle de tabac et de paroles vaines*, avait dit son père le jour où il avait pris l'avion pour aller occuper son premier poste à l'étranger.

Détournant son regard, la jeune femme à la poussette versa du café dans une petite cuillère, puis elle l'achemina vers la bouche de son enfant.

— J'ignorais que la caféine était bonne pour les bébés, ironisa-t-il, soucieux malgré tout de comprendre le sens de l'action dont il était témoin.

— Le café que je sers à mon fils n'est qu'un souvenir de ce qu'il aurait pu prendre un jour, s'il avait été grand.

Gabriel n'arrivait pas à voir la tête du nourrisson à partir de sa chaise.

— Comment s'appelle-t-il, votre fils ?

— La nuit seule peut le nommer, je ne suis que sa mère.

Le ton sec et cassant de l'inconnue révélait un malaise incompréhensible.

— Puis-je connaître votre nom à vous au moins ?

— Je suis anonyme comme toutes les mères. Personne ne connaît mon nom.

— Même pas votre fils ?

— Il n'a pas besoin de prononcer un nom pour que je le regarde.

L'accouchement avait probablement abîmé la raison de la belle maman. Il se sentait trop fatigué pour aller au delà de ce raisonnement simpliste.

Sans crier gare, elle sortit la créature de l'habitacle et la lui planta devant le nez. Ce n'était qu'une poupée avec des taches de café sur des lèvres en plastique. Alors il resta abasourdi devant ce geste brutal et insensé.

— Vous ne dites rien ? Quelle étiquette allez-vous me coller afin de vous tirer d'affaire, monsieur le curieux ? Folle ? Malade ? Complètement tarée ?

Sa voix était devenue sarcastique.

Irrité par autant de non-sens, il s'écria :

— On m'a réveillé à l'aube pour m'annoncer la mort de mon père. Trois balles de revolver dans le dos. Qui dit mieux ? Après ça, vous comprendrez que le régime alimentaire d'un nouveau-né soit le cadet de mes soucis.

— Votre père a été tué, dites-vous ? s'informa-t-elle, subitement interloquée.

— Oui, à l'étranger, et sans raison apparente.

— Et le jour où vous apprenez la mort de votre père, vous draguez une inconnue dans la rue ? Ne seriez-vous pas un peu timbré sur les bords ? s'exclama-t-elle tout en agitant violemment la poupée dans les airs.

Il demeura impassible devant la nervosité croissante de la jeune femme.

— Je vous regarde et je suis tenté de vous renvoyer la balle mais, pour que vos yeux bleus ne me quittent pas, je suis prêt à endosser tous les maux de la terre.

— Vous êtes un obstacle sur notre chemin, monsieur.

La voix de l'inconnue avait retrouvé son calme.

— Pourquoi dites-vous ça ?

— Si cette conversation se poursuivait, outre mon nom, vous finiriez par me demander mon numéro de téléphone à la maison. Sachez que chaque appel m'enlève des minutes de la vie de mon fils, dit-elle, se mettant debout avec brusquerie.

— Ne partez pas, je vous prie. Je vous promets de ne pas vous appeler si vous me donnez votre numéro de téléphone. Parlez-moi de votre fils, puisque c'est la seule manière d'apprendre quelque chose sur vous.

Elle accepta de reprendre sa place et il éprouva le soulagement du condamné pour qui chaque seconde de sursis vaut une éternité.

— Mon fils est né une nuit où son père regardait un match de soccer à la télé. Il est venu sans télécommande à la main, mon fils. Voilà pourquoi il a fallu partir, pour ne pas être contaminés par la fièvre qui gagnait la maison. On était en Espagne, ce pays grâce auquel l'Afrique marque des buts en Europe. Alors qu'on était déjà en exil, l'éclat d'un obus nommé divorce est venu frapper mon fils de plein fouet. Aujourd'hui, je sais que si je m'étais sacrifiée au nom du père, mon fils aurait eu la vie sauve. Je n'ai plus qu'à traîner sa dépouille de café en café. C'est la seule prison qu'il me reste.

Mal à l'aise face au manque de clarté dont faisait preuve la jeune femme, il demanda non sans un brin d'agacement :

— Je suppose que ça ne servirait à rien de vous demander la clé de votre récit, n'est-ce pas ?

— Vous êtes comme tous les hommes que j'ai rencontrés. D'abord, ils draguent, puis, une fois qu'on leur livre l'histoire, ils veulent aussi le mode d'emploi. Sachez, monsieur le curieux, que mon histoire n'a pas de clé parce qu'il y en a autant qu'il existe de femmes.

Comme s'il ne présentait plus le moindre intérêt à ses yeux, l'inconnue se leva précipitamment. Puis elle se remit à pousser sa relique sur le trottoir.

Il fit tout pour rentrer le plus tard possible chez lui. Il engagea des bribes de conversation avec des mendiantes accroupies aux coins des rues. À l'une d'entre elles, jeune et affligée d'un herpès sur les lèvres, il demanda poliment de se mettre debout et de montrer son cul nu aux automobilistes qui passaient à vive allure au volant de leur Mercedes dernier modèle.

— Combien tu me donnes ?

Son regard hagard le fixa depuis le trottoir.

— Un peso, dit-il en rougissant.

— Pour un peso, je ne lâche même pas la moitié d'un pet, répliqua-t-elle en ricanant.

Il poursuivit son chemin comme si de rien n'était. À un carrefour du centre-ville, il aida un aveugle à traverser la rue Corrientes, très congestionnée à cette heure de la journée.

— La prochaine fois, ne me serrez pas le bras comme si c'était une canne à pêche ! gueula-t-il une fois rendu sur le trottoir d'en face.

Ignorant ce qu'il faisait au juste, il entra dans des galeries d'art qui exposaient des peintures mal éclairées.

Pourquoi mettre la couleur derrière la porte? grommela-t-il
entre ses dents. *Pourquoi ne pas la faire sortir dans la rue, au
lieu de la cacher dans des sous-sols obscurs? Pourquoi faut-il
approcher l'art avec une torche à la main?*

De retour dans le quartier de San Telmo, il eut une
vision: le tableau d'une main s'extirpant de la cheminée
d'une maison en ruine attira son attention. Dans la paume
de cette main, il y avait des prairies, des falaises et le ciel
sillonné par les couleurs de l'arc-en-ciel. Rouge palpitant,
orange extatique, jaune vibrant, vert foisonnant, bleu
infini et violet obscène. Les couleurs avaient le mordant
d'une palette primitive et sauvage. Un vernissage avait
lieu sous ses yeux fatigués. Il y entra comme dans un rêve.
On accédait à la salle d'exposition par la cour d'une ancienne demeure coloniale. Des Noirs, tirés à quatre
épingles et parfumés comme s'ils voulaient écraser le stéréotype les voulant malodorants, étaient attroupés sous
les arcades. Ils gesticulaient derrière des nœuds de cra-
vates qu'on aurait dit noués au laser tellement ils étaient
parfaits. Jamais il n'avait vu autant de Noirs à Buenos
Aires. Ils s'exprimaient dans un français truffé de verbes à
l'imparfait du subjonctif. Comme il voyait plutôt noir le
futur de la langue de Molière, l'idée de s'aboucher avec
eux convenait à son état d'esprit. De quelle ambassade
étaient-ils la caricature? Peut-être parce qu'il était le seul
Blanc sur place, on l'emmena d'office devant l'artiste dont
les peintures remplissaient les murs. Il faillit bégayer en sa
présence, mais il se rappela que son costume, quoique su-
ranné, était au moins propre. C'était une chance que la
mort de son père eût coïncidé avec l'inauguration de l'exposition, autrement il n'aurait jamais mis une cravate.
Grande, les cheveux défrisés (on aurait dit les baleines
d'un parapluie brisé), une Noire entre deux âges lui
adressa la parole dans un espagnol nasillard.

— J'ai remarqué qu'une de mes toiles a retenu votre attention.

Son regard, un tantinet narquois, était intense et passablement éméché.

Tout en souriant, il dit :

— J'aime les mains qui se prennent pour des papillons.

L'artiste observa ses deux mains, les retournant dans l'air, avec un geste d'étonnement.

— Sans elles, c'est vrai, je serais toujours collée au sol comme un manchot.

Elle avait des lèvres goulues qui brillaient sous le lustre du salon. Sa poitrine montait et descendait au rythme d'une respiration haletante. L'artiste parlait comme si c'était son dernier quart d'heure. Marie-Pitié Desracines, de Port Salut, presqu'île du Requin, était un moulin à paroles. Sa robe d'un rouge framboise portait une adresse de courriel bleu ciel autour de sa taille : mapicine@toile.com.

— Je suis contente que vous ayez accepté l'invitation, fit-elle.

Ne voulant pas la décevoir, il se contenta d'acquiescer d'un mouvement de tête de haut en bas.

— Est-ce que vous attendiez beaucoup de monde, madame ?

— Appelez-moi Marie-Pitié. « Madame », c'est pour les vaches, dit-elle en rigolant.

Il comprit que sa question était idiote. Bien avant de la formuler, il savait qu'elle le serait. Cette femme l'intriguait et l'intimidait à la fois.

— On m'assure que des invitations ont été envoyées à tous les médias. Le travail d'une Haïtienne n'a pas l'air d'intéresser grand monde dans cette ville qui a les yeux rivés sur l'Europe. Ça n'a aucune espèce d'importance : faire le vide autour de moi, c'est aussi ma manière de baigner dans l'art.

Elle blaguait, mais on voyait bien qu'elle était mécontente de n'être entourée que de Noirs.

— Buenos Aires a peur de tout ce qui n'est pas Blanc. Voilà pourquoi on a tué les Indiens, expliqua-t-il avec le ton de quelqu'un qui fait un constat expéditif.

— On m'a informée que l'optimisme est un trait fort répandu dans la population locale, répliqua l'artiste tandis qu'un éclat persifleur brillait dans ses yeux.

— Ici, l'optimisme se conjugue au passé.

Sans se départir de son sourire, elle le prit par le bras et le guida jusqu'à une table où il y avait ces sortes de tacos farcis de viande ou de poulet qu'on appelle *empanadas*. Après avoir choisi la plus succulente, il l'avala d'un coup sec, sans y réfléchir à deux fois.

— J'aime les hommes qui ont faim, chuchota-t-elle comme si elle lui confiait un secret.

Déconcerté par le ton confidentiel de l'artiste, il changea de sujet :

— J'habite un immeuble où les locataires se parfument au lard frit. Je suis sûr qu'une de vos toiles installées dans le hall aiderait à raffiner leur goût.

— Je n'aurais jamais cru que ma peinture pourrait être utilisée comme déodorant chez un Blanc, s'esclaffa-t-elle tout en lui tapant sur l'épaule.

Il faillit s'étrangler avec une bouchée d'*empanada*.

Sollicitée par d'autres invités, elle lui faussa compagnie en deux occasions, mais elle se débrouillait pour lui faire parvenir des regards chargés de sous-entendus par-dessus l'épaule de ses interlocuteurs. Il en profita pour avaler une demi-douzaine d'*empanadas* toutes plus juteuses les unes que les autres. Un groupe d'hommes parlait en créole à ses côtés. Un peu plus loin, une mulâtresse s'exprimait en portugais avec un accent brésilien. Le vin aidant, un Trapiche de Mendoza au nez bien affirmé, il songea que

Marie-Pitié Desracines représentait peut-être le seul deuil possible dans cette nuit de Babel.

— Si vous voulez, on peut sortir faire le tour du quartier que je connais sur le bout de mes doigts. Je n'habite pas loin, murmura-t-il dans l'oreille de l'artiste dès qu'elle fut de retour.

— C'est d'accord. Allons-y, j'ai assez vu mes invités !

Sans le moindre scrupule, elle décrocha le tableau ayant impressionné le visiteur pour le placer sous son bras telle une vulgaire baguette. Pendant qu'ils traversaient le salon, tous les regards se tournèrent vers elle. Voilà au moins quelqu'un qui n'avait pas froid aux yeux. Maintenant, son geste le touchait davantage que l'œuvre elle-même.

L'avenue Independencia éclairée par la lune avait quelque chose d'irréel. Du coup, accompagné de la femme noire, il se sentit étranger dans sa propre ville. Puis vint le méandre de rues étroites où même les rayons de la lune n'avaient pas droit de visite.

— J'aime votre quartier, dit-elle.

Ils empruntaient des trottoirs encombrés de déchets. Comment pouvait-elle aimer toute cette ordure ? Les boutiques d'antiquités étant fermées, ils firent une halte sur la place Dorrego. Les balcons vétustes des façades découvraient des cordes à linge entre leurs balustrades.

— C'est là que j'aurais planté mon chevalet, s'enthousiasma-t-elle, jetant un regard qui embrassait l'ensemble.

Il ne dit rien, persuadé qu'elle se payait sa tête.

— Les villes qui tombent en ruine, j'aime ça. Voilà pourquoi je me sens chez moi à La Havane, reprit-elle.

Un peu plus loin, il lui montra le Museo Penitenciario, rue Humberto Iro., l'un des édifices les plus anciens de Buenos Aires. Puis il lui proposa de prendre le tableau à son tour, mais elle s'y refusa :

— C'est mon cadeau et c'est à moi de le porter.

Il n'insista pas. Personne ne lui ayant rien offert depuis belle lurette, ça lui réchauffait le cœur de voir cette femme venue d'ailleurs arpenter les rues avec sa grande toile sous le bras, rien que pour lui. Avant d'entrer dans l'appartement, elle dut monter à pied les dix étages de l'immeuble. Encore une preuve, songea-t-il, de son intérêt pour quelqu'un qu'elle ne connaissait ni d'Ève ni d'Adam.

Malgré qu'il fût près d'une heure du matin, elle réclama un clou et un marteau afin d'accrocher le tableau sans plus tarder.

— Dans cette maison, il n'y a que des clous de girofle, prévint-il, tâchant en vain de l'en dissuader.

— Où c'est que la puanteur frappe le plus fort ? s'enquit-elle sur un ton qui n'admettait pas de réplique.

— Dans ma chambre, confessa-t-il d'un air désemparé.

Soucieux de récompenser les efforts de son hôte, il alla dans la cuisine chercher une bouteille d'alcool. Il entendit des coups de marteau juste au moment où il se demandait si un litre de rhum suffirait à meubler la soirée.

— Si vous n'arrêtez pas tout de suite, mes voisins augmenteront dès demain leur dose de lard, supplia-t-il en se précipitant dans sa chambre.

— Ne vous en faites pas, ma main saura les arrêter.

L'assurance de l'artiste était superbe. Assis au bord de son lit, il admira le tableau tout en versant exprès un peu de rhum sur la couverture.

— Qu'est-ce que tu fais là ?

Le tutoiement dont il était tout à coup l'objet lui donna la chair de poule.

— De l'eau bénite des Caraïbes pour laver les péchés du monde, improvisa-t-il.

Peu à peu, elle s'était approchée de la bouteille qu'il tenait à la main.

— J'ai toujours écouté admirative les hommes d'Église qui, faisant fi de la soutane, offrent à leurs ouailles le caramel ardent de la nuit, soupira-t-elle avec le ton endurci d'une convertie de vieille date.

— Je ne mets pas de soutane, mais je n'oublie jamais le condom, fit-il, pressé d'éviter toute forme de malentendu.

— Tu dis ça parce que je suis Haïtienne, Noire et artiste ?

— Même si vous étiez Suédoise, blonde et mère supérieure dans un couvent à Stockholm, je vous l'aurais dit aussi.

— Je n'avale pas la pilule, tu te méfies de moi.

— Voyons, vous savez bien que le latex, de nos jours, est un passeport obligatoire dans les transports en commun, ironisa-t-il.

— Je ne suis pas sidéenne, si c'est ça que tu veux savoir.

— Je ne dis pas que vous l'êtes, mais je ne dis pas que vous ne l'êtes pas non plus.

— À quoi tu joues, hein ? Est-ce qu'on peut savoir ?

— Justement, je ne joue pas parce que je suis mauvais perdant, Marie-Pitié.

— Alors tu me rejettes parce t'as pas de chance au jeu, c'est donc ça, hein ?

Le ton de la Haïtienne était monté d'un cran.

— Vous voulez que je vous donne carte blanche pour faire avec moi ce qui vous chante ? demanda-t-il en plaisantant.

— Et qui dit que je veux coucher avec toi ?

— On voit bien que vous n'êtes pas de celles qui rechignent au combat.

— J'ai toujours été très belliqueuse, ça, c'est vrai, depuis que je suis toute petite. C'est moi qui ai dépucelé mes frères, y compris le dernier, qui est aujourd'hui curé à Pointe-à-Pitre.

— Les chemins du Seigneur sont imprévisibles et souvent obscurs.

— Ta sale ironie raciste, sexiste, ethnocentrique, machiste et politiquement incorrecte, tu te la fous là où je pense ! s'exclama-t-elle, mi-moqueuse, mi-sérieuse.

Ignorant si elle faisait du théâtre ou s'il s'agissait tout simplement des effets de l'alcool, il garda prudemment silence. Voir l'artiste s'échauffer à partir de ses propres mots avait tout de même quelque chose de grisant.

— Regarde ce que tu rates, p'tit poltron à la noix de coco ! reprit-elle.

En un clin d'œil, Marie-Pitié découvrit ses seins dignes d'une déesse magdalénienne. Elle les tenait avec ses mains probablement pour qu'ils ne touchent pas le plancher poussiéreux de la chambre. Luisants, ils avaient une texture d'ébène.

— Autant vous prévenir tout de suite que je ne me chauffe pas de ce bois, bredouilla le maître de maison à moitié ivre.

L'artiste fit un pas de plus dans sa direction.

Alors il remua les lèvres comme s'il avait marmonné une prière :

— Marie, ayez Pitié de nous.

Elle s'arrêta net. Sa poitrine menaçait de s'affaler sur lui. C'est à ce moment-là qu'elle l'apostropha violemment et sans fausse pudeur :

— T'as envie de moi, mais la trouille t'empêche de bouger, pas vrai ? À présent, on sait, toi et moi, d'où viennent les mauvaises odeurs dans cette maison.

Blessé dans son amour-propre, il avala au plus vite une gorgée de rhum. Alors elle s'assit à ses côtés, les jambes ouvertes. Tout en prenant la bouteille d'un geste farouche, elle se gargarisa longuement les amygdales. La toile à la main ouverte avait l'air d'un papillon géant épinglé contre le mur. Soudain, de sa voix nasillarde et sensuelle, elle se mit à chanter un tango à tue-tête :

> *Tomo y obligo ; mándese un trago,*
> *Que hoy necesito el recuerdo matar…*
> *¡ Sin un amigo, lejos del pago,*
> *quiero en su pecho mi pena volcar !*

Ne sachant pas comment la faire taire, il dit :

— Pas plus tard que demain, à coup sûr, je serai lynché par les voisins.

— Comment fais-tu pour vivre avec autant de peurs sur le dos, hein ?

Le ton de sa voix était redevenu gouailleur.

Lui ayant refilé la bouteille, l'artiste s'attendait à ce qu'il boive au goulot comme elle.

— Ça se peut, en effet, que la peur soit la seule passion de ma vie, avoua-t-il, résigné.

— C'est bien ce que je craignais, à force de coucher avec tes peurs, tu ne bandes plus, conclut-elle en riant aux éclats.

— Baissez le volume de votre trompette, s'il vous plaît, mes voisins en seraient reconnaissants, et mes tympans aussi, suggéra-t-il cette fois avec un peu plus de fermeté.

— Je ris pour ne pas pleurer, crois-moi. Ma première nuit à Buenos Aires avec un dégonflé au lit ! Seigneur, qu'ai-je fait pour mériter cela ?

— Ce qu'il ne faut pas endurer pour échapper au VIH, rumina-t-il d'une voix à peine audible.

Marie-Pitié respira profondément, reprenant la bouteille de rhum sérieusement entamée, du reste.

— Quand on vous réveille à cinq heures du matin pour vous annoncer que votre père a été tué de trois balles de revolver dans le dos, le dilemme shakespearien de savoir si vous êtes dégonflé ou non n'a pas grande importance, croyez-moi.

— En plus de ne pas me toucher, tu te fous de ma gueule maintenant ? Où est-ce que ça s'est passé ?

Elle avait les yeux ouverts comme deux assiettes qu'on aurait suspendues au beau milieu de la chambre.

— Au bord d'un lac, au Québec, dit-il d'une voix lasse mêlée de tristesse.

— Mes condoléances, murmura-t-elle, lui collant soudainement ses lèvres trempées de rhum contre la bouche.

2

É trangère, sans le sou et avec les inspecteurs d'Immigration Canada à ses trousses, voilà la femme que tu as regardée comme si elle était une princesse cette matinée d'hiver où il gelait à pierre fendre. Lorsque ton regard s'est posé sur moi pour la première fois, j'ai cru comme une imbécile que moi seule compterais pour toi à l'avenir. Tes yeux vert-de-gris transmettaient une telle intensité qu'ils effaçaient tout le reste. Ils me donnaient l'impression qu'ils n'existaient que pour moi, Ana Stein, une migrante sans carte de crédit dans son sac, avec un espagnol qui, à force de se faire nomade, avait perdu son accent de Buenos Aires. C'est de mon amour pour toi que je veux parler dans ce journal, et pourtant il va falloir que je commence par avouer que c'est moi qui t'ai tué, toi, Juan Carlos Olmos, consul argentin à Montréal. Aujourd'hui, je crois que ton métier n'était qu'un prétexte pour séduire de jeunes femmes en détresse comme je l'étais à l'époque. Dès que mes yeux ont rencontré les tiens, ma situation précaire a cédé la place à un sentiment de confiance que je n'avais pas éprouvé depuis longtemps. Comment ai-je pu tuer l'homme dont le seul regard m'allumait comme une torche ?

Je me rappelle le jour de notre première rencontre, une tempête de neige avait rendu la veille les trottoirs d'Ottawa impraticables. Pressée d'arriver à l'heure, deux fois j'ai fait une chute. Plus tard, tu me dirais qu'à l'étranger on ne pouvait que tomber. On m'avait informé au téléphone que le Consul venait de Montréal le premier lundi de chaque mois et qu'il recevait à partir de neuf heures. Devoir demander de l'aide à un inconnu me dérangeait. En m'engouffrant dans une de ces tours d'acier et de verre du centre-ville, j'ai failli rebrousser chemin, mais l'idée de ne pas aller jusqu'au bout m'est apparue insupportable. J'ai toujours eu horreur d'abandonner un projet en cours de route, aussi ingrat soit-il. Après deux étages en ascenseur, je me suis retrouvée devant une blonde au front buté qui m'a regardée du haut de son comptoir de bonne à tout faire.

— Je dois parler à Juan Carlos Olmos, ai-je annoncé, enlevant le bonnet de laine qui cachait mes cheveux.

— Avez-vous rendez-vous avec lui ? s'est-elle informée le nez en l'air comme une maîtresse d'école.

— Non, mais je n'ai pas l'impression qu'il soit très sollicité ce matin, ai-je commenté, jetant un coup d'œil circulaire sur la salle vide.

— Votre nom ?

— Ana Stein.

En épelant mon nom, j'ai observé qu'un léger sourire pinçait ses lèvres. Après avoir gribouillé mon patronyme sur un bout de papier, elle s'est engagée dans un couloir éclairé au néon. Son corps d'une minceur extrême ne semblait servir que de cintre à la robe beige qui l'habillait. Un de ces corps duquel le désir d'un homme devait revenir bredouille.

La salle d'attente exposait des photos de différents types de steak argentin. Avec toute la viande qu'il y avait dans les vitrines, j'avais du mal à saisir qu'on eût mis une carcasse à la réception.

Si je ne me mettais pas en règle avec mes papiers au plus vite, il me faudrait faire appel à un avocat et j'étais à sec. Au bout de quelques minutes, l'apparition d'un homme grand au regard pénétrant a bouleversé l'ordre de mes idées. Immédiatement, j'ai su qu'il n'était pas de ceux qu'on efface avec de l'eau de robinet et du savon en rentrant à la maison. L'élégance raffinée de son costume révélait un goût sûr, à fleur de peau, pour ainsi dire. Il m'a adressé la parole sans gestes inutiles ni la moindre trace d'affectation dans la voix.

— Ana Stein ?

J'ai fait oui de la tête sans lâcher ton regard, Juan Carlos.

— Votre nom, Stein — « pierre » en allemand, si je ne m'abuse —, explique sans doute que vous soyez la seule à braver le froid qui gèle à pierre fendre les rues de la ville ce matin.

— Je suis tombée deux fois sur le trottoir pour être ici la première, monsieur, ai-je précisé, esquissant à peine un sourire.

— J'espère que vous n'allez pas le regretter, as-tu répliqué, souriant à ton tour.

— Ça, je ne le saurai qu'après vous avoir parlé, monsieur le Consul, ai-je ajouté du tac au tac.

Les fenêtres du bureau où tu recevais étaient bouchées par les murs en brique d'un immeuble voisin. Les locaux de l'ambassade se trouvaient au deuxième étage, probablement parce que le loyer y était moins cher. *La viande argentine ne vole pas très haut à Ottawa*, ai-je réfléchi sans souffler mot.

— Désolé pour ce vis-à-vis peu engageant, t'es-tu empressé de dire, comme si tu lisais dans mes pensées.

Tu parlais posément, tout en me fixant avec une intensité qui gommait le monde extérieur. Tu m'as aidée à me débarrasser de mon manteau. La robe en laine d'un gris argenté que je portais moulait trop mon corps, voilà ce que tes yeux soulignaient sans gêne. Je voulais te donner à tout prix l'impression de ne pas en être consciente. Alors j'ai dit :

— Ne vous en faites pas, ça fait longtemps que j'ai renoncé à contempler le ciel quand j'ai affaire à un fonctionnaire argentin.

Le ton de ma voix, moitié persifleur, moitié sérieux, ne t'étonna point. Alors, pour la première fois, j'ai vu le vert de tes yeux l'emporter sur le gris.

— Je ne peux que partager votre avis en dépit du corps soi-disant diplomatique qui me fait vivre, as-tu dit d'une voix enjôleuse.

— On ne veut pas me renouveler mon visa sous le prétexte que je ne suis plus étudiante, voilà où j'en suis, ai-je informé tout de go.

— « On », c'est qui ?

— Les autorités fédérales.

— Il ne leur suffit pas que vous soyez Stein, dure, brillante, et probablement précieuse ?

Ta voix grave de séducteur chevronné m'a donné la chair de poule malgré la banalité de ta remarque.

— Pour eux, je n'ai pas de carats parce que je viens de l'Amérique latine.

— Même le froid sibérien qui sévit ici ne tue pas le stéréotype, n'est-ce pas ?

— Au contraire, plus il est froid, plus les gens y croient dur comme pierre, ai-je dit sur un ton que tu as dû trouver drôle, car j'ai alors entendu ton rire retentir dans le bureau.

— Voulez-vous du café ? as-tu demandé sans détacher tes yeux de mon regard.

— Oui, si vous en avez du vrai.

— Un des avantages d'être consul, c'est de faire en sorte que l'exil ait toujours l'arôme du vrai café.

Nous avons souri tous les deux, puis tu as appuyé sur l'interphone pour qu'on nous apporte du café « réservé aux amis de l'ambassade ».

Ta manière spontanée et chaleureuse d'ouvrir un espace de convivialité entre nous m'a beaucoup plu.

Toujours dans la même veine, te sentant probablement en syntonie avec mon regard, tu m'as apostrophée d'une voix enjouée :

— Racontez-moi votre vie, Ana Stein. Être tout ouïe, voilà un autre avantage d'être consul.

— La vie d'une femme, c'est l'histoire de ses rencontres ratées avec les hommes, monsieur.

— Vous me semblez bien trop jeune pour vous reconnaître dans un énoncé aussi désabusé, mademoiselle.

— On a beau avoir du flair, l'échec est toujours au rendez-vous dès qu'on n'est plus sur ses gardes.

Tu as préféré faire une pause avant d'avancer un nouveau pion. Puis tu as dit :

— Et que dit votre flair en ce qui me concerne ?

— Que vous pouvez être dangereux, monsieur le consul, ai-je répondu sans trop réfléchir.

C'est ça que je t'ai dit, t'en souviens-tu ? *dangereux*, toi que j'ai tué, mais peut-on tuer le danger ?

C'est donc moi, Ana Stein, qui ai donné la mort à l'homme qui m'était infidèle. Non, je biffe mon nom, *pierre parmi les pierres*, disait-il, et je corrige : *Moi ayant donné la mort*, voilà ma seule identité possible, lapidaire, irrévocable ; voilà aussi ma vraie prison. Je suis condamnée à être *celle qui a donné la mort à son amant*. Pour toujours. *Donner la mort*, drôle d'expression, du reste, pour un acte de pure soustraction. Comment peut-on « donner » la mort à quelqu'un ? La mort ne se *donne* pas, elle s'impose comme l'action la plus arbitraire et la plus cruelle. Pourquoi l'amour rend-il inhumain à ce point ? Comment peut-on par amour supprimer ce qu'il y a de plus précieux au monde ? La mort prend tout, sauf elle-même. La mort, le temps de la mort du seul homme qui savait me prendre dans ses bras, aspire tout ce qui vit encore en moi. Ironie macabre, aujourd'hui la mort seule témoigne de l'amour que je lui vouais. J'y plonge, dans ce journal, mot à mot, souvenir après souvenir : mes misérables cailloux de Petit Poucet soucieux de ne pas perdre de vue ce lieu commun qu'est la mort. Pourtant, ce que je dévoile dans ces pages ne cherche nullement à atténuer ma peine. Non, j'arrête, je ne peux pas écrire à la troisième personne sur l'homme que j'ai tué. Je ne peux pas en parler comme si ma voix devenait un prolongement du rapport dans lequel on a constaté son décès. Soit je continue à te tutoyer comme par le passé, soit je me tais. C'est à toi que je parle, Juan Carlos Olmos, consul argentin à Montréal jusqu'à la fin d'un après-midi d'été où ta trahison m'a brûlée vive en provoquant une rage incontrôlable. Écoute ce que j'ai à dire maintenant que la mort t'empêche de me tromper encore une fois. Si je ne tenais pas ce journal, je me ferais sauter la cervelle, et alors tu cesserais d'exister pour de bon. Chaque mot que j'écris est une balle que je crache. Rien n'effacera le bruit sec des balles dans ma tête, leur crépitement de feu qui n'écoute que lui-même. Obstinément, j'accoucherai de leur écho. Tous les jours, j'ai rendez-vous avec les trois tirs qui me déchirent les entrailles. Comme Judas, j'ai par trois fois nié la lumière du jour. Il fait aussi noir ici que là où tu es. En se précipitant dans le vide, ton regard a emporté le soleil avec lui. En attendant de te rejoindre, je me fais discrète, je passe inaperçue. Je fais le mort (ne ricane pas, je t'en prie) comme lorsque j'étais enfant et que papa m'emmenait à la mer. En ce temps-là, bercée par les vagues, immobile, l'écume et les étoiles de mer caressaient mes cheveux. Mon Dieu qu'il est loin, le temps de l'innocence !

À deux pas de ta mort, le vide dans lequel tu as basculé m'attend pour compléter le tableau de notre impossible mariage. Une immigrée comme moi ne peut que chuter, comme tu l'as si bien dit. Je ne laisse qu'un meurtre et une traînée de poudre sur mon passage. Voilà le CV peu reluisant d'Ana Stein, *Ana Piedra* comme tu m'appelais, la *seule* femme qui t'aura tué ; là au moins, je serai unique. Triste consolation, n'est-ce pas, Juan Carlos ?

Écrire pour le croire : l'homme que j'ai tué. *Tué*, tu es. Le participe passé te va comme un suaire, tu y es chez toi, une dépouille où je te retrouve figé pour l'éternité. À l'abri du pire pour l'éternité, *tu es* au delà de toute contingence. Figé pour toujours, tu ne vivras que dans la mémoire de celle qui t'a aimé au point de déclencher en quelques secondes ce que les hommes passent toute une vie à éviter. Tu n'auras pas eu besoin d'attendre, moi, j'ai été ta fin. Ana Stein, la femme qui dicta ton arrêt de mort attend ta reconnaissance posthume, Juan Carlos Olmos. Non, je n'ajoute pas la moquerie au crime, ne me crois pas aussi cynique. Pour toi, la mort aura eu un visage, le mien. Celui de la femme qui t'a aimé sans rime ni raison. L'humiliation d'une mort banale dans un lit d'hôpital t'a ainsi été épargnée. Tu n'étais pas tout jeune, bien qu'en pleine forme, mais pendant combien de temps encore ? Tu te dépensais trop, Juan Carlos. Même si tu avais franchi le cap de la cinquantaine, tu persistais à vouloir séduire. Comment aurais-je pu accepter toutes ces jeunes femmes, immigrées pour la plupart, ayant des faveurs à te demander, et que tu aimais recevoir une à une dans ton bureau cossu de la rue Peel comme pour mieux t'assurer de ne jamais en être en manque ? J'avais pourtant tout fait pour que tu sois totalement heureux à mes côtés. N'avais-je pas accepté de prendre sur moi tout ce qui te débordait, y compris la violence et la mélancolie ? *Fais de moi ce que tu veux, mais ne me quitte pas*, combien de fois as-tu entendu ces mots de ma bouche ? Litanie dont je n'étais pas fière, mais qui me tenait lieu de règle de vie. Alors pourquoi toutes ces tricheries qui écourtaient de plus en plus nos rencontres ? Pourquoi as-tu fait la sourde oreille, Juan Carlos, quand je t'ai supplié de t'occuper non pas de moi (je n'étais qu'un futur assassin après tout) mais de notre amour ? Réponds, je te parle, réveille-toi, repêche ta langue, remets donc tes yeux vert-de-gris dans leurs orbites. On sait tous les deux que le désir qui te contrôlait était bien plus fort que trois petits coups dans le dos. Ignoble, tu dis ? C'est ça que tu penses de moi, là où *tu es* ? Soit. Abject, hideux, immonde, voici mon visage redessiné trait par trait au pinceau de ta trahison. Pourtant, je te jure que j'aurais voulu être tout contre toi à l'instant où l'œil du revolver visait ta poitrine. J'aurais tellement souhaité, moi aussi, recevoir ces balles qui au-raient scellé notre union à jamais. Ce n'est pas une blague de mauvais goût, crois-moi. Oui, j'aurais aimé de tout mon cœur fixer l'arme sur un trépied pour sortir moi aussi dans le flash de ta chute. La main dans la main, comme deux enfants sur le chemin de la récré, nous aurions faussé compagnie à toutes ces maladies qui préparent dans l'ombre leur prochaine victoire. Ne crever ni vieux ni malade, quelle réussite pour un homme dont le désir était beaucoup plus fort que son intelligence !

Mais voilà que tu es parti seul, Juan Carlos, et des hommes au regard froid et indifférent ont dû s'approcher de ton cadavre pour écrire plus tard *Mort du consul Juan Carlos Olmos au Québec*. Des mots pétrifiés, des étiquettes, en somme, qui remplacent l'original par une copie. Au fond, ils n'ont ramassé qu'une peau criblée de balles, car ce qui vibrait en toi reste tatoué sur mon front. Ça m'étonne

qu'ils ne s'en soient pas aperçus, mon amour. Excuse-moi,
tu as raison, je ne peux plus appeler *mon amour* l'homme
que j'ai tué. Je ne te nommerai plus, voilà, tu n'auras pas de
nom, comme la mort, *tu es* un visage sans traits. Dépouillé
de ta propre dépouille, tu seras ce chemin qui ne mène nulle
part. Bref, un cul-de-sac, l'impasse de ma vie. Entre toi et le
précipice, il y aura donc cette mémoire d'assassin, qui est la
mienne. J'ai du mal à le croire. Dès que les tirs ont retenti en
haut de la montagne, j'ai su que ma vie tout entière ne serait
plus que l'écho de ta mort. Que faire avec elle à présent? Si
je m'en remets aux limiers qui cherchent le *mobile du
meurtre*, comme ils disent, ton dossier sera classé dans une
armoire métallique sous une rubrique administrative
quelconque. Quant à moi, je serai condamnée à répéter à
l'infini entre quatre murs les trois tirs qui font battre mon
cœur. Je me transformerai dans le disque rayé de notre
dernière rencontre. Il me sera dès lors impossible de te faire
sortir du cachot où tu es. Libre de mes mouvements, je suis
donc beaucoup plus fidèle à ta mémoire, et la douleur est
plus forte. Si j'acceptais que les autres m'obligent à purger
ma peine, je deviendrais sans doute paresseuse, j'engrais-
serais à coup sûr, et il me serait difficile de te maintenir en
vie dans chaque mot que je profère. Il n'y a que moi qui
puisse choisir le châtiment que je mérite. D'ailleurs, tu sais
très bien que je suis ma pire ennemie, n'est-ce pas Juan
Carlos? Ces gens chargés de nous punir au nom d'une
société dont tu t'es toujours moqué, que peuvent-ils savoir
d'une femme qui tue pour ne pas être seule? que savent-ils
au juste de cette lente transformation de l'amour en plaie,
rien qu'en plaie, toujours en plaie?

Ayant pris une journée de congé à l'ambassade, j'ai
quitté Ottawa pour revenir à Montréal. Je t'avoue que cette
ville dont j'étais jalouse autrefois (elle savait si bien occulter

tes infidélités dans les plis de ses ruelles!) me fait aujour-
d'hui affreusement défaut. Je me suis arrêtée dans une de
ses nombreuses églises. J'aime toujours ces lieux dont le
plafond très haut nous rappelle qu'il faut avoir la foi ou être
sous les effets d'une drogue pour fixer le Ciel, tu vois, je n'ai
pas changé. Déboussolée depuis ton départ, j'avais commencé la journée en plongeant la tête dans la *neige*. Ne
t'étonne donc pas si ce que je raconte ici sent la balade au
parfum de cannabis. Le quartier des étudiants anglophones
m'a toujours été d'un grand secours en ce domaine. Tandis
que je montais une rue en pente du ghetto McGill, j'ai débouché sur une église logée dans une rue sans issue, étroite
et aiguisée comme un couteau de gitan, juste ce dont j'avais
besoin pour me décider à en franchir le seuil. Une guillotine
aurait été mieux, mais ce n'est plus à la mode de trancher la
tête des criminels en public. À l'intérieur de l'église, une
femme âgée au visage émacié vendait des cierges. Tout était
en vente, même la cire rappelant l'agonie du Christ.

— Combien est-ce que ça coûte pour se confesser ici,
s'il vous plaît? ai-je demandé en français à un homme en
soutane qui s'affairait sur l'autel en faisant des gestes
comme s'il était un acteur dans un film muet.

Il était si grand que sa tête flottait détachée du tronc. J'ai
dû répéter la question pour qu'il daigne se tourner vers moi.

— Il n'y a que toi qui puisses le savoir, a-t-il répondu
en anglais.

— Êtes-vous un curé, monsieur, ou un fonctionnaire de
la reine d'Angleterre?

— Ici, on ne confesse qu'en anglais.

— On m'a appris quand j'étais toute petite que les
péchés doivent être dits dans la langue dans laquelle ils ont
été commis, autrement ce sont des mensonges.

— Dans quelle langue est-ce que tu oublies le Seigneur,
ma fille?

— Je L'oublie dans toutes les langues, mon père, mais c'est en espagnol que je pèche.

— Il y a d'autres Églises qui utilisent cette langue. J'en connais au moins une sur le Plateau Mont-Royal, pas trop loin d'ici. Personne ne t'empêche de t'y rendre.

— Je peux être tuée en sortant d'ici, vous savez. Il y a des morts qui cherchent à m'abattre. Voulez-vous que je parte sans confession?

Il y a eu un silence, puis la voix haut perchée de l'homme à la soutane noire a résonné de nouveau dans l'église:

— Tu t'es shootée, hein, ma fille?

Alors j'ai esquissé un sourire tout en le regardant droit dans les yeux. Puis j'ai dit:

— Je croyais que, pour se confesser, il fallait se mettre à genoux, mon père.

— À l'héroïne? T'es-tu shootée à l'héroïne? On en vend beaucoup dans le quartier. Allez, avoue-le.

— Et vous? Que vendez-vous, mon père? Des visites guidées au ventre immaculé de Marie?

Il demeura silencieux pendant quelques secondes, puis sa parole modulée en sourdine me rappela que les hommes ont peur de parler à voix haute dans les églises.

— Je suis prêtre, je ne vends rien du tout, j'aide de jeunes égarées comme toi à retrouver le droit chemin.

— Excusez-moi, mais quelle aide peut accorder à une étrangère un prêtre qui ne confesse qu'en anglais?

— Le pays dans lequel tu as mis les pieds fait partie du Commonwealth, ma fille.

Sa voix était devenue ironique et il me fixait d'une drôle de façon.

— Une Église, monsieur le curé, ne doit-elle pas offrir l'hospitalité à toutes les langues de la terre, y compris la mienne, aussi noire soit-elle?

— Je n'ai pas dit que la langue de l'Espagne était noire comme la légende qui l'accompagne, ma fille, je me suis tout simplement limité à préciser qu'ici on ne la parle pas.

— Pour ne rien vous cacher, monsieur le curé, j'ai l'impression que votre écoute est aussi réconfortante que la couleur de votre soutane.

À ce moment-là, il m'a proposé de l'accompagner derrière l'autel pour me donner la fessée que, selon lui, je méritais. Voilà ce qu'il m'a sorti tout en faisant semblant de se plier aux exigences de son métier. Écailleux et long comme un crocodile debout, il voulait mes larmes pour apaiser l'homme qui se cachait sous la soutane. Ce fut alors, je crois, que les effets de la drogue me firent déraper pour de bon. D'un pas leste et silencieux, je me suis dirigée vers le confessionnal le plus proche. À genoux, je m'y suis déculottée sans crier gare. Nul besoin de me retourner pour savoir que, cette fois-ci, c'était moi qui menais le bal dans l'église.

— Je t'écoute, mais rhabille-toi, pour l'amour du Ciel, n'oublie pas où tu es, a-t-il bredouillé d'une voix tout à coup étranglée.

Je suis parvenue à me ressaisir dès que j'ai constaté qu'il n'était qu'un homme seul au milieu d'une église vide. En un clin d'œil, je me suis rhabillée. De son côté, le curé s'est fait tout petit pour rentrer son humanité dans le confessionnal. Alors, Juan Carlos, pour la première fois, j'ai enfin pu parler de ce que je t'avais fait :

— Je m'appelle Ana Stein et j'ai tué l'homme qui couchait avec moi lorsqu'il n'était pas avec d'autres femmes.

— Pourquoi cette urgence de confession qui te tourmente, ma fille, doit-elle faire appel au mensonge pour se manifester ?

C'était clair que le curé, comme saint Thomas, ne me croirait que s'il me touchait le sein.

— Je l'ai tué à coups de revolver. Il y avait quatre balles dans le chargeur.

— Pourquoi veux-tu te moquer d'un représentant de l'Église ? a-t-il demandé, de plus en plus excédé.

— Comment puis-je me moquer d'un homme qui a regardé mes fesses avec un fouet dans les yeux, mon père ?

— Assez ! Tu ne m'as pas vu en train de te regarder ! s'est-il exclamé, hors de ses gonds.

— Et comment le savez-vous ? ai-je demandé d'une voix posée.

— Tu avais le dos tourné.

— Ça prouve que vous m'avez regardée, mon père. C'est bien ce que je pensais.

J'ai vu son visage se crisper à travers la grille du confessionnal.

— Pourquoi es-tu entrée ici ? Qu'est-ce que tu cherches au juste ? s'est-il enquis, subitement inquiet.

— J'ai besoin de parler de l'homme que j'ai tué.

Il ne souffla pas mot pendant quelques secondes. On aurait dit qu'il priait. Puis, d'une voix un peu plus calme, il s'est informé :

— Qui était cet homme, ma fille ?

— Juan Carlos Olmos, le consul argentin à Montréal.

— Je ne le connais pas.

— Tous les journaux en ont fait leurs choux gras.

— Je ne lis pas les journaux.

— Comment confesser quelqu'un sans savoir ce qui se passe dans la vraie vie, mon père ?

— Je n'ai pas besoin de lire les journaux pour savoir ce qui s'y passe, il suffit que je regarde le visage des gens.

— Ils ont découvert son cadavre criblé de balles au pied d'une falaise, dans les Laurentides. Voilà ce que les journaux racontaient.

— En plus de tirer sur lui quatre fois, tu l'aurais aussi jeté dans le vide ?

— Je n'ai tiré que trois coups.

— Tu as dit que le revolver contenait quatre balles.

— La dernière était pour moi.

— Il t'en faudra beaucoup plus que ça, ma fille, la mauvaise herbe ne meurt jamais, a-t-il marmonné entre ses dents.

— Vous avez tort de prendre à la rigolade ce que je vous confesse, mon père.

— Je ne peux tout simplement pas prendre à la rigolade quelqu'un qui découvre ses fesses dans une église, ma fille.

— Ce que je vous découvre maintenant est bien plus sérieux qu'un simple cul de femme, mon père.

— Rien n'est simple, ma fille, tout dépend de la perspective que l'on adopte.

J'ai eu le sentiment que le curé se moquait de moi. J'ai senti que je m'énervais.

— Quand on a tué quelqu'un, la seule perspective qui compte, c'est celle de l'œil d'un revolver.

— Ne laisse pas la violence s'exprimer à ta place, ma fille.

— C'est l'homme que j'ai tué qui parle. Ne vous en rendez-vous pas compte ?

— Les morts ne parlent pas.

D'un coup, j'ai compris qu'il ne prêchait que pour sa chapelle. Difficile de s'en aller en claquant la porte d'une église pour montrer qu'on n'est pas d'accord avec le curé de service. J'ai donc continué à débiter mon récit comme une élève bien appliquée. J'ai même exagéré mon accent étranger afin de rendre ma confession encore plus vraisemblable. Pour qu'il me croie, devais-je clouer mes mains au sol et marcher la tête en bas avec les jambes écartées ?

— Cette femme que vous ne voulez pas voir, c'est moi, Ana Stein, descendant de la voiture avec une arme dans son sac. Personne ne l'aperçoit parce que le chalet est situé dans la partie la plus reculée de la falaise qui domine le lac. À l'abri d'une végétation très dense, elle marche sans hésiter, déterminée à ne pas rater son rendez-vous avec elle-même. Ça fait plusieurs nuits que la jalousie l'empêche de dormir. L'abandon dont elle est victime déforme le regard qu'elle porte sur les choses. Elle sait que sa perception peut ne pas être conforme à la réalité, mais tout est devenu flou, sauf sa haine, récalcitrante, implacable. Pourtant, cette haine cédera le pas à l'amour dès que l'homme qu'elle doit tuer ne sera plus là.

— Es-tu en train de me dire que tu l'aimes à nouveau parce qu'il est mort? demanda-t-il d'une voix qui avait du mal à cacher son incrédulité.

— Vous est-il arrivé, mon père, ne serait-ce qu'une fois dans votre vie, d'aimer quelqu'un au point que l'idée d'en être séparé vous soit intolérable?

— Je te rappelle que ce n'est pas moi qui me confesse ici, ma fille.

Le curé s'est probablement figuré qu'en plus d'être droguée j'étais aussi fêlée. Te rends-tu compte, Juan Carlos, de l'image qu'il se faisait de moi? Aurais-tu aimé une femme comme ça? Moi qui cherchais à me mettre en règle avec la justice de Dieu, devais-je me conformer au cliché d'une de ces femmes à l'œil hagard sans feu ni lieu rasant les murs du centre-ville?

— J'ai tiré trois fois sur un homme de dos. C'est lui qui a préféré me tourner le dos, probablement pour me faciliter la tâche, son dernier geste de considération à mon égard. Sans doute avait-il compris qu'il me serait impossible d'appuyer sur la détente s'il me regardait droit dans les yeux. Il n'y a que dans les westerns, mon père, qu'on tue les gens de front.

— Tu n'es pas dans un film, malheureuse. Tant que tu ne feras pas la différence entre la réalité et la fiction, tu ne sauras jamais qui tu es.

— Je suis une criminelle, voilà tout, mon père.

— Pourquoi, dis-moi, as-tu fait ça ?

— Il m'avait abandonnée.

Pendant un long moment, il n'a rien dit. Puis il s'est remis à parler lentement comme s'il cherchait à comprendre.

— D'où est-ce que tu viens, ma fille ?

— D'une bouche de métro, mon père.

— Je veux dire : quel est ton pays d'origine ? a-t-il encore une fois demandé sur le ton compatissant de quelqu'un s'adressant à une malade.

— Je suis Argentine, bien que de ça au moins je ne sois pas coupable.

— Est-ce la première fois que tu voyages à l'étranger ?

— Les Argentins ne voyagent pas, mon père, ils émigrent.

— Que puis-je faire pour toi, ma fille ?

— Dénoncez-moi à la police.

— Il n'y a pire torture que l'abandon du Seigneur, ma fille. Même si ton histoire était vraie, jamais je ne te dénoncerais. Tu m'as l'air de faire partie de cette génération qui, à force de cliquer sur du virtuel, ne sait plus où sont les frontières du réel. D'ailleurs, si tu veux te rendre à la police, qui t'en empêche ?

Les propos du curé me tapaient de plus en plus sur le système. Je ne pouvais pas prendre au sérieux quelqu'un qui n'avait pas le courage de porter son regard là où mes paroles brûlaient. Voilà nos curés d'aujourd'hui, Juan Carlos, de petits fonctionnaires à l'esprit étriqué, pas l'ombre de cette écoute généreuse d'autrefois.

— C'est plus facile de rencontrer une église sur son chemin à Montréal qu'un agent de la police montée, mon père.

— Tu devrais prier et regarder un peu moins de films à la télé.

— Est-ce là ma pénitence pour avoir tué un homme, mon père ?

L'église était devenue un pur silence inutile. Des cierges brillaient sur l'autel. J'ai pensé qu'il me laisserait partir sans réponse, voilà pourquoi sa voix tout à coup cassée n'a fait que me troubler davantage :

— Les chiens qui ont la rage dans le corps, on les abat, penses-tu qu'il faille faire de même avec toi, ma fille ?

Crois-tu, Juan Carlos, que ma mémoire ait, elle aussi, la rage ? Tant que je ne serai pas six pieds sous terre, je n'aurai qu'elle comme passerelle entre nous deux. Voilà pourquoi tu dois l'accepter comme mon dernier répons. Après notre rencontre à Ottawa, nous nous sommes revus, toi et moi, Juan Carlos, à Montréal, une nuit où le tango y déballait sa mélancolie de quatre sous. Mes papiers étaient à présent en règle, j'avais trouvé du travail à l'ambassade. Discrètement, sans rien demander en échange, tu avais fait le nécessaire pour que l'horizon se dégage enfin. Ma surprise était d'autant plus grande que jusque-là je n'avais connu que des hommes donnant, donnant. Aussi avais-tu compris que je n'étais pas une de ces femmes dont on se débarrasse dès que le désir fout le camp ; voilà peut-être pourquoi tu as préféré jouer la carte du gentleman au début. En amour, qu'on le veuille ou non, tout est question de stratégie.

J'avais reçu une invitation d'un groupe de musiciens argentins de passage à Montréal :

Le tango ou la vie
Théâtre de la Bourse
4449, rue Saint-Dominique
19 heures

J'aime la musique qui donne la parole à l'exil. Je me suis donc rendue à Montréal, heureuse d'accueillir une tristesse autre que la mienne. À la sortie du théâtre, une main s'est posée sur mon épaule. Je me suis retournée pour me retrouver nez à nez avec toi, là, au milieu d'une des rues les plus étroites et les plus moches du Plateau.

— Ana Stein, je vous invite à souper au cas où le tango ne vous aurait pas coupé complètement l'appétit.

Voilà ton invitation à bout portant, tombée sans préavis comme un de ces pourriels vous annonçant tout à coup que vous venez d'hériter d'une fortune.

— Mes parents m'ont appris qu'il ne faut sortir qu'avec des gens du même âge que soi, ai-je dit, te regardant droit dans les yeux.

— La compagnie d'un vieillard que la musique nostalgique d'un pays voué au bruit et à la fureur reverdit comme s'il avait vingt ans de moins pourrait s'avérer plus agréable que vous ne le pensez, mademoiselle.

Ta voix grave s'était radoucie au point d'épouser presque le registre des berceuses qu'on fredonne aux enfants les nuits où le sommeil se fait tirer l'oreille.

— Il faut que je rentre à la maison, j'ai deux heures de route qui m'attendent.

— Restez à Montréal, il ne serait pas sage de rouler la nuit, les heures qui vous attendent seront toujours là demain, fiez-vous à mon expérience en ce domaine, dis-tu, charmeur.

Des grappes de spectateurs débordaient le trottoir, nous avions un pied encore au théâtre et l'autre dans la rue, des flocons de neige s'agitaient dans l'air. J'ai remarqué que plus d'un regard féminin s'était tourné vers ton profil aquilin taillé dans un bois au parfum exotique. Habillé en noir avec un œillet rouge à la boutonnière de ton pardessus ouvert comme si le froid ne te concernait pas, cette soirée de décembre (nous étions à une semaine de

Noël) a vu ton masque de consul céder la place à un tango chanté à mi-voix tout près de mon oreille :

De cada amor que tuve, tengo heridas,
Heridas que no cierran y sangran todavía.
Error de haber querido ciegamente
Matando inútilmente la dicha de mis días

Ç'aurait pu être fleur bleue mais, dans ta voix grave et traînante, ces paroles trouvaient un ton juste. D'un coup, elles m'ont enfermée dans une serre sur laquelle l'hiver n'avait plus de prise. Comme une idiote, j'ai contemplé la neige s'accrochant à tes tempes, puis j'ai accepté ton invitation d'aller à ce restaurant du Vieux-Port, Les cheveux d'elle, où nous avons soupé à une table avec vue sur le fleuve. En quittant le théâtre, je suis donc entrée dans un film que je n'aurais pas voulu rater pour tout l'or du monde. Mon goût pour le gris de tes cheveux argentins venait de loin, mais mon choix était le fruit d'un présent sans lendemain. D'emblée, je savais que je n'aurais pas d'avenir avec toi. Pourquoi avoir donc jeté mon dévolu sur toi ? *Et voilà que le champagne, bien frappé pour couronner le tout, est venu nous réunir sous un même tango* (je ne fais que te citer). Ta flûte levée, tu as ensuite proposé un toast :

— Pour le dernier ravissement d'Ana Stein à Montréal, ai-je suggéré, sans discernement, étourdie par l'intensité de ton regard posé sur moi.

— Il y en a eu d'autres ? demandas-tu d'une voix qui n'épousait le velours que pour mieux souligner l'ambiguïté de mon vœu.

— Je ne suis pas une proie facile, vous savez.

— C'est ce que j'ai pensé dès que je vous ai vue pour la première fois, Ana.

— Et maintenant que vous me retrouvez ?

— Je reste fidèle aux premières impressions. Vous êtes trop précieuse, Ana Stein, pour le commun des mortels.

Du coup, j'ai rougi parce que je sentais que ton regard allait trop loin. En vain, j'ai alors essayé d'arrêter ton élan :

— Je sens que vous ferez tout pour me faire croire à ce que vous racontez, et ça m'inquiète.

Tu as adopté une attitude silencieuse comme chaque fois que tu cherchais le mot juste, puis tu as dit :

— Vous avez raison, il faudrait que je sois fou pour vous laisser filer sans vous dire combien votre visage et vos cheveux, la liberté de vos cheveux, me captivent.

— Pourquoi autant de rhétorique pour me dire que j'aurais dû les rouler sur ma nuque, mes cheveux, comme une jeune fille de bonne famille ?

— J'aime les femmes qui sèment leurs cheveux aux quatre vents, as-tu dit, un sourire espiègle sur les lèvres.

— Vous me décrivez comme si j'étais une sorcière, monsieur le consul.

— Vous êtes la sorcière la plus belle que j'aie jamais rencontrée, Ana.

— Je vous avertis, je prends les choses au pied de la lettre. Pour moi, le mot « chien » mord.

— Le vaccin contre la rage est gratuit dans ce pays, même pour des étrangers comme nous.

On nous a servi une tranche de filet de bœuf argentin tel que je n'en avais pas goûté depuis longtemps.

— Je pensais que la maladie de la vache folle avait fermé nos frontières à notre bon vieux bœuf des pampas, ai-je dit d'une humeur badine.

— C'est le meilleur ambassadeur de notre pays après le tango.

— C'est tout de même curieux qu'une musique composée par des crève-la-faim accompagne l'exportation de viande argentine en Amérique du Nord.

— Rien qui vienne d'Argentine ne peut plus m'étonner.

En te regardant jouer du couteau et de la fourchette, je me suis dit que c'était la première fois qu'un homme en train de manger de la viande ne m'écœurait pas.

— C'est quoi être consul pour vous ? ai-je demandé pour masquer mon émoi.

— Vivre le plus *consulairement* possible.

L'adverbe avait été prononcé comme si tu prenais un malin plaisir à le détourner de sa fonction officielle.

— Avec une *consulesse* accrochée au bras, bien entendu, lorsque le protocole et la morale locale l'exigent ?

— Il m'a suffi d'un seul mariage pour comprendre qu'il y a d'autres manières moins coûteuses d'être malheureux dans la vie.

J'ai aimé l'humour avec lequel tu m'apprenais que tu étais un homme libre.

— Des enfants ?

— Un seul, Gabriel, lointain comme tout ce qui nous manque.

— Pourquoi ne l'invitez-vous pas à vivre ici ? Montréal est une ville très stimulante pour les jeunes.

— Il n'accepte rien qui vienne de moi. Une fois par an, il me laisse un message. Il s'arrange pour qu'il me parvienne par une tierce personne. Si vous y tenez, je peux vous citer le tout dernier retranscrit d'une main tremblante par ma secrétaire : « Vieux con, quand vas-tu dégager le plancher pour que je puisse enfin commencer à vivre ? »

— Vous vous moquez de moi ? Ça me paraît trop brutal et expéditif, ai-je dit, incapable de cacher ma surprise.

— Qu'est-ce qu'on peut attendre d'un fils, Ana ?

— Et d'un père ?

— Mon père est mort quand j'avais dix-huit mois. Je n'ai donc pas eu le temps de cultiver du ressentiment à son égard. Ne pas avoir à le haïr a peut-être été le meilleur cadeau que m'a fait la vie.

— Est-ce qu'elle s'est remariée ?

— Qui ?

— Votre épouse, votre ex, je veux dire.

— Pas que je sache. Je suppose qu'elle en est restée aussi traumatisée que moi.

— Ça s'est si mal passé entre vous ?

— Disons que nous n'étions pas faits l'un pour l'autre mais plutôt l'un *contre* l'autre.

— Ça m'intéresse, les histoires qui se terminent mal. On patauge tous dans une société qui se nourrit d'amours mortes. On est des érophages.

Il sourit légèrement, puis il prit un temps d'arrêt, comme pour mieux digérer le mot.

— « Érophages » ? Heureusement que les jeunes sont là pour nous aider à trouver le mot juste.

— Ne changez pas de sujet. Vous disiez que votre mariage a été un échec.

— Ce qui ne nous tue pas nous rend plus forts, Ana.

— Vous avez l'air en forme, en effet.

— Dois-je le prendre comme un compliment ?

— Prenez-le avec du champagne.

Tu as de nouveau souri en levant ta coupe. Je semblais heureuse, tu as dû penser que tu y étais pour quelque chose. Toujours pareil avec les hommes, ils croient que sans eux aucune femme ne peut trouver la clé du paradis. J'étais contente parce que j'avais réussi, ne serait-ce qu'un instant, à quitter ma peau de nomade bonne tout juste à baiser. J'aimais que tu prennes ton temps avec moi, te refusant les chemins battus et les formules prêtes à l'emploi. Remarque, c'était peut-être ça, ta stratégie, Juan Carlos, mener les choses à petits pas, sans te presser, comme s'il n'y avait pas d'urgence à armer la main qui couperait le cordon te reliant à la vie.

Notre troisième rencontre a eu lieu à Québec. Une poignée d'industriels argentins devait se réunir au Château Frontenac avec des hommes d'affaires locaux. Je me suis avisée de t'en informer. *Je ne vous ai pas aidée à trouver un poste à l'ambassade pour que vous deveniez une espionne*, m'as-tu dit en guise de remerciement. Aussi as-tu ajouté avec une pointe d'humour acéré que tu ne voulais pas que je finisse comme Mata Hari. Je t'ai prévenu que jamais plus je ne décrocherais le téléphone pour te communiquer quoi que ce soit. Surpris par la virulence de ma réaction, tu m'as demandé ce que tu devais faire pour que je te pardonne, *aller à Québec avec un bouquet de roses à chaque main*. Ma pénitence s'avérait trop concrète pour être prise à la blague, et je m'en suis mordu les doigts, étourdie que j'étais, *elles seront rouges, vos roses, pour que vous me voyiez de loin*, as-tu promis.

On m'avait demandé d'accompagner le groupe de visiteurs. Ils étaient cinq, et comme il arrive souvent aux voyageurs argentins, ils ont oublié que, à l'étranger, les étrangers, ce sont eux. Ils se conduisaient comme s'ils étaient dans leur datcha entourés de domestiques. Leur maîtrise exécrable de l'anglais me permettait au moins de raffiner leurs propos. Il fallait du doigté et de la patience pour ne pas froisser leur orgueil aussi démesuré que leur manque de civilité. Il y en avait un qui, en plus de cracher un grand cru dans son verre sous prétexte qu'il était bouchonné, s'était permis d'exiger des excuses du maître d'hôtel. *Cet exécrable pinard me fait dégueuler, nom d'un chien!* avait-il vociféré à la cantonade. Un autre, bedonnant et chauve, voulait connaître à tout prix le numéro de téléphone de notre jeune serveuse. Il a fallu que j'explique à cette dernière qu'en Argentine les vieux barbons apprenaient par cœur des numéros de téléphone pour se protéger contre la maladie d'Alzheimer. Afin qu'ils ne me bavent pas dessus, j'ai par la même occasion fait savoir à nos illustres compatriotes que j'étais une lesbienne inconditionnelle, et que le moindre harcèlement de leur part risquait de se terminer au commissariat le plus proche.

Un message sur mon cellulaire annonçait ton arrivée dans la Vieille Capitale en début de soirée. Mon cœur s'est mis à battre la chamade. Tu m'as donné rendez-vous au Château Frontenac à l'heure où nos singes roupillaient ou faisaient la bête à gros dos avec des putes de la Basse-Ville. Je me suis rendue sur les lieux avec quinze minutes de retard. La journée avait été éreintante et il m'avait fallu du temps pour me refaire une beauté. Tu m'attendais au bar Saint-Laurent, sous une coupole de pierre circulaire avec tous ses lustres allumés. J'ai immédiatement reconnu ton profil de médaille. Tu contemplais le fleuve recroquevillé sur son lit de glace. J'ai eu envie de courir vers toi, mais j'ai freiné mon élan. J'ai respiré profondément avant d'affronter ton regard. Trouble subit devant les signes trop évidents d'un intérêt pour ma personne ? J'ai failli rebrousser chemin, c'est alors que ton regard s'est tourné dans ma direction, et plutôt que de me laisser envelopper par lui, voilà que je me suis entendue te demander :

— Qui êtes-vous pour me regarder comme ça ?

— Ceux qui ne me connaissent pas m'appellent « consul ».

— Et ceux qui vous connaissent ?

— Ceux-là, une toute petite poignée, ne m'appellent plus.

— Peut-être parce qu'ils sont loin, comme votre fils. La distance est cruelle, elle efface tout ce qu'elle touche.

— Je me suis habitué à vivre loin de mes proches, y compris mon fils, Ana.

Ta voix était douce et sereine, fraîche aussi, une de ces voix qui se ressourcent dans la tristesse.

— Est-ce que vous le regrettez ?

— Rien, je ne regrette rien, comme dit la chanson. Il a fallu faire avec ce qui était à ma portée, c'est-à-dire l'exil.

— Et votre fils ?

— Il ne m'a pas écouté quand je lui ai conseillé de faire des études. Maintenant, c'est foutu pour lui.

— Pourquoi dites-vous ça ?

— Les fils vieillissent aujourd'hui plus vite que leur père. Les économies du savoir ont besoin de matière grise plus que de jeunesse, et ceux qui ne s'y engagent pas tout de suite sont expulsés du marché sans miséricorde. Voilà ce que m'apprend mon métier de consul.

Le champagne est enfin arrivé et je me suis glissée entre ta mémoire et toi avec la célérité d'une voleuse d'intensités. J'ai voulu savoir depuis combien de temps tu vivais à l'étranger. *Le temps, il ne faut pas le découper en tranches parce qu'il se grille*, m'as-tu expliqué sur un ton enjoué et léger. *Alors depuis quand vous le tartinez avec votre exil ?* ai-je insisté sans vouloir en démordre. *Je ne sais plus, à force de vivre à l'étranger, on finit par ne plus savoir compter.* Une nouvelle fois, tu as porté ton regard vers le fleuve. Je me suis tue. Pas pour longtemps, j'avais trop envie d'en savoir plus sur toi :

— Pourquoi avez-vous quitté l'Argentine, un pays sans hiver ? Pourquoi êtes-vous parti exactement, Juan Carlos ?

C'était la première fois que je t'appelais par ton prénom. Je pense que tout s'est joué à ce moment-là. En te nommant, j'ai déclenché le déclic d'une horloge dont il ne me serait pas donné de maîtriser le mécanisme.

— Je suis parti pour ne pas devenir aveugle. On vivait dans un abattoir qu'un aveuglement collectif permettait encore d'appeler pays.

— Croyez-vous qu'on recouvre la vue à l'étranger ?

— L'exil, c'est comme le laser : ça aide à corriger la myopie, Ana.

Ton goût pour les formules décapantes m'agaçait au début, puis j'ai compris que ça t'aidait à tirer ton épingle du jeu. Tu n'aimais pas trop les longues explications. Il a fallu que je m'y adapte, moi qui jasais comme une pie. En sablant le champagne, j'ai observé ton visage dépourvu de rides ; tout comme Dorian Gray, tu savais tenir l'âge en laisse. Ton costume bleu foncé t'allait comme un gant, *un de ces diplomates qui se réveillent avec le nœud de la cravate déjà en place*, me suis-je dit, cédant ensuite à la tentation d'une petite phrase qui finirait par mettre le feu aux poudres :

— J'ai beau faire des efforts, je n'arrive pas à vous imaginer nu, ai-je lâché de but en blanc, étonnée par ma propre audace.

— C'est normal, on n'a pas encore couché ensemble, Ana, as-tu répliqué sur le ton de quelqu'un qui parle du temps qu'il fait.

Ton assurance m'ayant piquée au vif, je ne pouvais que prendre la mouche.

— Qu'est-ce qui vous fait croire qu'une chose semblable pourrait arriver ?

— J'ai beau faire des efforts, il m'est impossible de ne pas vous imaginer nue.

C'était ta technique, dans le moule de mes phrases, tu disais exactement le contraire de ce que j'exprimais. De nouveau, je me suis fâchée contre toi.

— C'est pour me dire ça que vous êtes venu ici, monsieur le consul ?

— Je suis venu pour tenir parole, mademoiselle.

Alors, avec ta main à hauteur d'épaule, tu as fait le geste qu'on esquisse pour héler un taxi, un valet est apparu, et deux bouquets de roses rouges ont fini par avoir raison de mes dernières hésitations.

3

L e trajet Buenos Aires-Montréal via les États-Unis mit les nerfs de Gabriel à rude épreuve. Les nombreux contrôles dans les aéroports, les interminables attentes entre deux avions et l'exiguïté des sièges qui coinçaient ses jambes, lui firent comprendre que ses premières impressions de la métropole seraient celles d'un voyageur éreinté et très peu objectif. À Dorval, au moment de traverser les douanes, on l'avisa de se diriger vers une petite salle latérale où lui et sa valise furent auscultés comme s'ils représentaient une menace pour la sécurité nationale. Cet incident administratif exacerba sa mauvaise humeur. L'architecture McDonald's de certaines rues du centre-ville le prit au dépourvu. Elle n'était pas omniprésente, mais quelques échantillons ici et là suffisaient à gâter le paysage urbain. Des gratte-ciel décrochés de toute perspective humaine déclenchèrent chez lui un sentiment d'étouffement. Impossible d'y flâner, les mains dans les poches, tel un bohémien qu'un parfum de femme ou l'arôme du café frais font revenir sur ses pas. La boulimie commerciale qui rongeait beaucoup de façades finit par le rebuter. Le fait qu'il avait dû quémander de l'argent à sa mère pour acheter le billet d'avion n'arrangeait certes pas les choses. Sans le vouloir, le souvenir de Buenos Aires, par comparaison tacite, augmentait sa déception. Quelle différence !

Alors que l'Europe montrait le bout de son nez à chaque
coin de rue là-bas, tout sentait ici l'esprit du profit de
l'Amérique. Ce qui le déconcertait le plus, c'était le peu
d'harmonie entre les différents styles de construction noyés
dans un torrent d'avis publicitaires. C'était donc ça, la ville
que tous les guides touristiques se faisaient un devoir de
présenter comme la deuxième agglomération francophone
du monde « après Paris »? Les vitrines des *fast food*
alternaient avec le fracas des bétonnières. Pourtant, le tissu
urbain, en dépit de quelques vitrines genre ketchup,
dévoilait des immeubles dont le style rappelait l'Angleterre. Ils n'étaient pas très nombreux, mais ils ouvraient des
espaces de convivialité que l'étranger de passage accueillait
avec un sourire d'incrédulité. Coupées au cordeau, les rues
avaient l'exactitude de croix faites pour être admirées
depuis le hublot d'un hélicoptère. Il s'était donné la peine
de consulter des guides touristiques avant de prendre
l'avion, mais jamais il n'aurait imaginé que l'esthétique
souvent expéditive de la civilisation états-unienne serait si
présente dans chaque pâté de maisons du centre-ville de
Montréal. Alors qu'il s'attendait à une ville à la française, il
se trouvait plongé jusqu'au cou dans un espace urbain
essentiellement anglo-américain. Dans son for intérieur, il
reprocha aux guides touristiques de ne pas l'avoir suffisamment averti de l'emprise des capitaux yankees sur le cœur
de la métropole québécoise. Vite, il écarta le projet de se
loger dans un de ces hôtels dont le toit se perdait dans les
nuages et qui incluaient probablement, outre le *Wall Street
Journal*, des comprimés de Prozac au petit-déjeuner.

Sans savoir comment, il se retrouva dans une auberge à
l'entrée de l'oratoire Saint-Joseph. La vue de la montagne,
avec toutes ces marches qui s'agenouillaient à tour de rôle
au pied de la basilique, avait quelque peu réconforté sa foi

de pèlerin sud-américain. La douceur des flancs du mont Royal gommait en grande partie la sensation d'oppression éprouvée lors de son arrivée au centre-ville. Les rondeurs de la montagne, la sensualité qu'elles dégageaient au beau milieu du vacarme de la circulation urbaine, modifièrent positivement son humeur. Le lendemain, après avoir passé une partie de la nuit à compter des claquements de porte, il alla chercher du café au réfectoire dont les fenêtres donnaient sur Queen-Mary. Le maître des lieux, à qui le bec-de-lièvre et l'œil droit barré d'un foulard de pirate donnaient l'air d'un personnage sorti d'un mauvais film américain, exigeait un dollar cinquante pour un café qu'il servait sans précaution dans des verres de Coca-Cola en plastique. Gabriel, du haut de ses six pieds et des poussières, lui demanda si les cinquante sous, c'était pour le café qui tombait à côté.

— On voit bien que t'es pas d'ici. À quoi bon répondre à quelqu'un qui, quoi que je fasse, ne me dira jamais merci ? riposta l'autre tout en lui jetant un regard méprisant.

Son accent pointu de titi parisien mal dégourdi surprit drôlement le nouvel arrivé. Il croyait que la France n'envoyait plus de bagnards au Québec depuis Louis XV au moins.

Les clients de l'auberge, les yeux cloués à leur table, buvaient en silence ce liquide noirâtre et fade qu'ici on nommait café.

N'ayant trouvé personne à la réception, il déménagea à la cloche de bois. Dans le but de soulager sa conscience, il laissa quand même un dollar cinquante cents sur le comptoir, au cas où le pirate de cuisine viendrait réclamer son dû.

Devant l'auberge, il héla un taxi conduit par un Haïtien. Il avait l'allure de Marie-Pitié Desracines, sauf que sa peau était un brin plus foncée. Tout de suite, il songea à l'artiste et à l'adresse qu'elle lui avait donnée dès qu'elle avait appris qu'il se rendait à Montréal. *Un grand nombre de mes concitoyens y déploie beaucoup d'énergie et d'imagination afin de résister à la neige qui s'acharne à imposer le blanc partout ; il n'y pas plus raciste qu'elle*, l'avait-elle prévenu, un sourire aux lèvres.

— Combien ça coûte pour me conduire rue Waverly ? demanda-t-il au chauffeur.

— Le compteur a le dernier mot, répondit-il, signalant d'un index nonchalant le taximètre à moitié couvert par les jambes nues d'une petite poupée aux cheveux frisés sur le tableau de bord.

— J'aimerais qu'on se mette d'accord à l'avance, monsieur.

Toujours près de ses sous, sa mère ayant été chiche au moment de délier les cordons de sa bourse, il lui faudrait donc faire attention, resquiller ici et là si possible afin d'étirer l'oseille.

— Comment voulez-vous l'savoir avant de faire l'parcours, m'sieur ?

— Ma foi, en faisant un calcul basé sur des parcours semblables.

— M'sieur, vous croyez que si j'savais faire des calculs, comme vous dites, j'serais chauffeur d'taxi dans cette ville où y faut travailler comme un Nègre pour pas crever d'faim ?

Touché par son sens de l'humour, il monta dans la voiture, se disant qu'après tout la nuitée à l'auberge ne lui avait rien coûté.

— D'où est-ce que vous venez ? demanda l'Haïtien après qu'il eut placé la valise du voyageur dans le coffre de sa Camry d'un blanc immaculé.

— Mon passeport prétend que je suis Argentin.

— Vous avez pas l'air convaincu, m'sieur.

— En effet, ce n'est pas encore clair dans ma tête.

Le chauffeur de taxi considéra la réponse de son passager avec gravité, se mit à réfléchir, puis revint à la charge :

— S'y a quelqu'chose d'clair dans ma tête à moi, c'est que ch'uis Haïtien, et j'en suis fier, m'sieur !

— Et quel rapport peut-il y avoir entre la fierté et le fait d'être Haïtien, monsieur ? demanda-t-il, trop fatigué pour prendre conscience de son impertinence.

— La fierté, m'sieur, c'est l'estime qu'on a pour l'pays natal, riposta l'autre du tac au tac comme si sa réponse était toute prête.

— Moi, je suis venu au monde dans le ventre d'une femme. C'est à peu près la seule chose que je sais. La femme est probablement le seul pays possible pour un homme.

— Trois fois, j'ai essayé d'fonder un foyer, comme on dit, et trois fois j'ai échoué sur toute la ligne, m'sieur. Pour moi, une femme, c'est comme vivre à l'étranger : je finis toujours expulsé.

Gabriel ne put s'empêcher de rire et, du coup, il se sentit nettement mieux. Même s'il lui faisait payer cher la course, cet immigré avait gagné sa sympathie ; comparé au pessimisme récalcitrant des chauffeurs de taxi de Buenos Aires, l'humour de l'Haïtien versait un baume sur les égratignures de son arrivée.

Afin de l'encourager à persévérer dans ses efforts concernant les femmes, il dit :

— Être expulsé, c'est naître une seconde fois, ne pensez-vous pas ?

— Vous avez été expulsé de votre pays, m'sieur ?

— L'Argentine est un vagin qui expulse tout ce qui ne rapporte pas d'argent.

— Vous m'excuserez, m'sieur, mais vous m'parlez d'un pays ou d'une pute ?

— Avant de prendre l'avion pour Montréal, je suis allé au consulat espagnol. On était une bonne centaine à faire le pied de grue sur le trottoir. Une fois arrivé devant le bon guichet, on a exigé les papiers attestant que j'étais fils d'Espagnols. J'ai demandé si le fait de n'être qu'arrière-petit-fils pouvait suffire. On a voulu savoir pour quelle raison je sollicitais un passeport espagnol. J'ai expliqué que je ne voulais pas être obligé de faire un hold-up pour parvenir à vivre.

— Et ils vous l'ont donné, votr' passeport, m'sieur ?

— Oui, sans doute pour éviter que je ne choisisse l'une des nombreuses banques espagnoles installées en Argentine pour mon hold-up.

— Sacré nom d'une pipe ! Pensez-vous que je puisse faire d'même, m'sieur ?

— Quoi donc ? Attaquer une banque ?

— Non, obtenir l'passeport espagnol. On gèle ici, vous verrez, m'sieur.

— Si vous êtes capable de prouver que vous descendez d'un de ces Espagnols arrivés avec Christophe Colomb en 1492, pourquoi pas ?

Le chauffeur de taxi se gratta la tête tout en réfléchissant à voix haute :

— Faudrait que je commence par savoir qui était mon père, m'sieur.

— On est tous dans le même bateau, vous savez.

— Ça s'peut, sauf que moi, chuis pas sûr d'avoir vraiment envie de regarder mon échec dans les yeux d'l'homme qui m'a amené au monde, m'sieur.

Ce gars ayant quelque chose d'un Socrate des Antilles, Gabriel voulut savoir quelle était la meilleure boussole pour garder le nord dans les rues de Montréal.

— Pas d'boussole qui vaille ici, surtout l'hiver six mois par année, mon pauvr'm'sieur — la neige efface tout, y compris le sourire sur la gueule des gens.

L'hiver n'était pas encore là, mais les arbres perdaient leurs feuilles. L'été indien avait déjà brandi sa hache mordorée de dernier Mohican. Après avoir longé la montagne, le taxi s'engagea dans une avenue flanquée de petits commerces et de restaurants avec des noms grecs à l'entrée. Les escaliers des triplex se tortillaient sous un ciel haut et d'un bleu sans l'ombre d'un nuage. Des jardins lilliputiens retenaient quelques poignées de fleurs que les chiens du quartier arrosaient sur leur passage.

— Nous y voilà, Waverly. Tout près d'ici, vous avez les meilleurs bagels de Montréal, entre Saint-Urbain et Clark. Maison de l'Original Fairmount Bagel s'appelle la boulangerie ouverte vingt-quatre heures sur vingt-quatre, m'sieur. Le monde vient de loin pour les acheter. Bruns, avec de la cannelle et des raisins de Corinthe, un pur délice, et encore mieux avec le cappuccino servi au coin de la rue, informa le guide improvisé.

La voix enjouée de l'Haïtien avait le ton juste de ceux qui se sentent chez eux. Il semblait connaître chaque pied carré du quartier. Aucune hâte ne le poussant à faire étalage de ses savoirs, il ne parlait qu'à propos, comme si chaque situation devait être prise à point. Avant que Gabriel descende, il souffla le nom du quartier, Mile-End, sur le ton de quelqu'un qui révèle un secret. Puis, au moment de se faire payer, il dit avec un sourire que tout ce qu'on lui devait, c'était la promesse d'un café bien jasé la prochaine fois qu'ils se rencontreraient. Un *café bien jasé*, voilà ce qu'il lui proposait en échange de son travail, cet homme qu'il ne connaissait ni d'Ève ni d'Adam. Content d'apprendre que les anges étaient Noirs à Montréal, Gabriel regarda le ciel en se demandant si cet Haïtien-là, il ne l'avait pas rêvé.

Les maisons du quartier logeaient des gens de tout poil. L'attention du voyageur fut attirée par un couple qui s'apprêtait à manger au bord du trottoir. Il était à peine onze heures à sa montre. La femme était plutôt blonde, bien en chair, lui — un petit maigrichon accroché à son litre de rouge — avait l'air d'être débordé par les rondeurs de sa compagne. Une lumière intense leur donnait des allures de personnages de bande dessinée. Alors il comprit pourquoi Marie-Pitié venait chercher son inspiration dans ce quartier aux petites maisons peintes de couleurs vives. Le tableau qu'elle lui avait offert à Buenos Aires arborait des couleurs semblables. *Dès que tu seras là-bas, rends-toi chez Vidalina. Montréal est une île qui garde ses logements pour ceux qui ont du fric. Elle t'aidera à en dénicher un pour pas cher, à moins* (là elle avait fait un clin d'œil malicieux) *qu'elle ne te loge chez elle en bonne Samaritaine. D'origine guatémaltèque, sa maison a plus de couleurs que les plumes d'un quetzal. Surtout, n'accepte pas qu'elle tombe amoureuse de toi, car elle perd toujours au change.* Ainsi avait parlé Marie-Pitié du haut de sa poitrine généreuse que la peur du sida et d'autres appréhensions du même acabit avaient empêché Gabriel de caresser la nuit où il avait appris la mort du Consul.

Après quelques secondes d'hésitation, il appuya sur la sonnette de la porte. Il aimait arriver à l'improviste, sans s'annoncer, de façon à trouver normal que personne ne fût là pour l'accueillir. Tout compte fait, il préférait courir ce risque plutôt que de parler avec la voix brisée de ceux qui crient au secours : *Je vous appelle au nom de Marie-Pitié, je suis tombé dans une auberge de pirates et de flibustiers au pied de l'oratoire Saint-Joseph, pourriez-vous m'aider à trouver un logement décent ?* Il y a des énoncés qui sont condamnés à ne jamais se transformer en voix. Quand la porte s'ouvrit, la phrase qu'il bredouilla n'était pourtant guère meilleure :

— Désolé de me présenter avec ma valise à la main, madame, je n'ai pas trouvé d'endroit où la laisser avant de venir ici.

Il était face à une femme encore jeune, aux pommettes saillantes, qui le regardait droit dans les yeux. Derrière elle, un long couloir se perdait dans la pénombre.

— Ne vous en faites pas, Marie-Pitié m'a parlé de vous. Je vous attendais, vous et votre valise.

Sans comprendre pourquoi, il sentit que cette femme lisait dans la pensée des gens. Son regard vif, beaucoup plus que ses paroles, somme toute banales, lui donnait cette impression. Depuis son arrivée, il ne rencontrait que des regards indifférents, excepté celui, insolite, du chauffeur de taxi. La fatigue et le manque de sommeil expliquaient en partie son état d'esprit. Il suivit l'amie de Marie-Pitié tout le long du couloir sombre donnant accès à l'appartement au rez-de-chaussée d'un triplex qui avait dû connaître des jours meilleurs. Pourtant, une fois à l'intérieur, il éprouva le sentiment de visiter un lieu qu'il connaissait déjà. Le couloir était une longue trompe aveugle au bout de laquelle apparaissait la cuisine comme un ovaire de safran et de cannelle. La femme alluma une à une des lampes dont les couleurs chaudes rappelaient ces bordels criards à la périphérie des agglomérations urbaines en Amérique du Sud.

— Que fait un Argentin de Buenos Aires dans une ville comme celle-ci ?

La question de la femme résonna dans son cerveau comme un reproche. Il aurait préféré qu'elle le voie plutôt comme l'ami d'une amie, rien de plus, quelqu'un dont la nationalité ne compte pas. Pourquoi fallait-il que le lieu de naissance soit évoqué tandis qu'il mettait les pieds chez elle ? Une *appellation d'origine contrôlée*, voilà ce qu'on exigeait implicitement de lui avant de le loger. Un *Argentin de*

Buenos Aires, la formule avait quelque chose de redondant qui le mettait mal à l'aise. L'Argentine n'étant point connue en dehors de sa capitale, un *Argentin* ne pouvait donc être que de Buenos Aires. Esprit contestataire, il se plut alors à imaginer des passerelles entre sa ville natale et la métropole québécoise. Après tout, Buenos Aires faisait elle aussi partie de l'espace américain. En effet, à bien y réfléchir, cette ville, mâtinée de nostalgie espagnole et de mélancolie italienne, avait également son côté hybride. Dans le passé, tout comme Montréal aujourd'hui, Buenos Aires avait eu son lot d'immigrants bernés par le mirage de l'Amérique. Mais à quoi bon sortir ces vieilleries de sa besace de voyageur ? Valait mieux être expéditif et aller à l'essentiel :

— Je suis là pour savoir pourquoi mon père a été tué, madame.

À sa grande surprise, Vidalina demeura silencieuse. D'un geste de la main, elle lui montra un fauteuil recouvert d'un jeté multicolore, puis elle sortit une bouteille de vin d'un meuble d'angle.

— Asseyez-vous. Permettez-moi de boire un coup. Vous m'avez coupé le souffle, marmonna-t-elle en plaçant deux verres à eau sur une petite table ronde.

— Désolé, je ne voulais pas tourner autour du pot. Voilà tout.

La stupéfaction qu'il lisait sur le visage de l'amie de Marie-Pitié le soulageait : quelque chose de plus important que le lieu d'origine captait à présent son attention. Il était allé trop loin, et il le savait. Montrer du doigt sans préambule ce qui l'obsédait était indécent. Pourtant, la mort du Consul, ce qu'elle avait de bouleversant, restait impossible à dire. Quelque chose proche de la honte s'empara de lui. Au fond, il ne faisait que se servir de la mort de son père pour attirer sur lui le regard de cette femme. Une forme d'exhibitionnisme frisant l'obscénité qu'on aurait pu assimiler à une stratégie de séduction. Parlons donc de ce père qu'on a tué au bord d'un lac de montagne dans des circonstances mystérieuses et pleurons sur le sort réservé au fils abandonné dans un pays sans avenir. La belle réussite, la femme qui lui avait ouvert les portes de sa maison à Montréal le couvait d'un regard attendri. Mais voilà que l'intensité du regard de Vidalina l'intimidait tout à coup.

— Marie-Pitié ne m'a rien dit concernant votre père, se reprit-elle en remarquant le malaise du jeune homme.

— J'ai fait sa connaissance le jour où on m'a appris la mort de mon père.

La froideur de la voix du voyageur, beaucoup plus que ce qu'il disait, fit tiquer Vidalina. Alors elle dit d'une voix sans nuances :

— Marie-Pitié m'a laissé entendre qu'elle a passé la nuit chez vous.

Son ton s'était quelque peu durci, malgré les efforts évidents qu'elle faisait pour conserver son affabilité. Il pensa que ses chances d'être logé chez elle se joueraient sur les mots qui suivraient. Alors, comme à l'accoutumée, il s'empressa de se saborder lui-même. Avoir la poisse, voilà le seul talent dont il se croyait peut-être digne. À quoi bon tourner autour du pot ? Autant vider son sac tout de suite :

— En effet, faute de pouvoir veiller la dépouille de mon père, j'ai passé une nuit blanche avec une Noire dans mon lit, avoua-t-il, embarrassé.

La femme baissa les yeux. Était-ce sa manière de se faire pardonner son indiscrétion ? Puis un long silence s'ensuivit qu'elle meubla en versant du vin dans les verres.

En reprenant la parole, il s'aperçut qu'elle serait capable de passer outre l'inconvenance scandaleuse de ses propos.

— Marie-Pitié m'a aussi dit que vous étiez un peu bizarre, mais qu'elle ne vous croyait pas foncièrement méchant. Est-ce que vous pensez qu'elle s'est trompée sur votre compte ? s'enquit-elle sur un ton faussement naïf tout en vidant son verre d'un coup.

Dès qu'il goûta le vin de son hôte, Gabriel comprit pourquoi il fallait s'en débarrasser d'un trait tellement il était exécrable. Il s'amusa à penser que certains vins pouvaient être bien plus mauvais qu'un homme.

— Je trouve que c'est difficile d'évaluer le degré de méchanceté de nos contemporains. Il n'y a que dans les films d'Hollywood, ou dans la bouche du président Bush, qu'on sait qui sont les méchants.

Sa voix était redevenue nonchalante et un tantinet narquoise.

— Tout comme la religion, le cinéma endort l'intelligence des gens, constata-t-elle sur un ton à peine désabusé.

La voix de la femme était trop chaude pour être blessante. Alors il se jeta à l'eau, à peu près sûr que si elle lui montrait la porte, ce serait au moins fait poliment :

— Marie-Pitié m'a dit que vous pourriez peut-être me loger chez vous, madame.

— Commencez par m'appeler Vidalina si vous voulez mettre les chances de votre côté, le corrigea-t-elle en remplissant encore une fois les verres.

Il comprit sur-le-champ qu'elle ne le chasserait pas.

— Merci, Vidalina, dit-il avec soulagement.

— Avez-vous de quoi payer ? demanda-t-elle sur un ton gai et vif.

— Ai-je l'air d'un Argentin désargenté ? blagua-t-il.

— La dernière fois que j'ai logé un voyageur de votre pays, il est parti sans me payer le dernier mois. Il est d'ailleurs aussi parti avec mon ordinateur portable, comme s'il tenait à me faire comprendre que les choses ne se font pas à moitié.

— Un écrivain français du XVIIIe siècle, le marquis de Sade, pour ne pas le nommer, suggère qu'il faut punir non pas celui qui vole mais celui qui se fait voler.

À travers une fenêtre, on voyait du linge qui séchait dans une cour coincée entre deux bâtisses. La lumière s'arrêtait là où commençait la blancheur des draps.

— Seul un esprit cynique peut dire pareille aberration. Si j'accepte de vous loger, même si je vous soupçonne de faire partie de ceux qui plient bagage sans payer leur facture, c'est parce que je crois que la mort de votre père a dû vous ébranler beaucoup plus que vous ne voulez l'admettre.

Pour la première fois depuis la mort du Consul, il réussit à se raccommoder avec le sommeil. Au réveil, des éclats de rêve vinrent à sa mémoire : le visage jeune de son père tel que de vieilles photos en noir et blanc en gardaient les traits. Il n'avait pas encore de fils à cette époque. Gabriel aurait aimé le rencontrer quand il avait son âge pour le dissuader d'avoir un fils comme lui. Ensemble, dans un de ces cafés décadents de Buenos Aires que son père aimait tant, il l'aurait averti des conséquences d'un geste qui relève beaucoup plus de l'irresponsabilité, voire de la folie, que de la survie de l'espèce. Après tout, avec un peu de chance, il aurait pu échapper ainsi à l'opprobre de sa propre naissance. Paradoxalement, il ressentait une sorte de pitié à l'égard de cet homme qui un jour donnerait naissance à une épave comme lui. Dans ce rêve bizarre, le père l'écoutait avec l'attention bienveillante d'un ami. Ses yeux vert-de-gris n'avaient jamais été aussi vifs, aussi près de ceux du fils. Machine à rêver des pères impossibles, Gabriel dut se contenter de ces quelques bribes qu'un nouveau jour effaçait déjà.

Ce matin-là, il quitta le Mile-End de bonne heure pour se rendre au consulat argentin. Afin de se préparer mentalement, il se promena d'abord parmi les gratte-ciel du centre-ville, les hôtels de luxe, les restaurants chics et les grands magasins qui prolifèrent entre la rue Sherbrooke, le boulevard René-Lévesque, le boulevard Saint-Laurent et l'avenue Atwater. Ayant découvert, en prime, une ville sous la terre, il eut hâte de revenir à la surface. Alors il crut comprendre que l'appât du gain était le seul moteur de cette partie de la ville. Fric, fric, fric. Voilà le tic tac à l'américaine incrusté au plus profond des grandes artères montréalaises. Décidément, l'horloge de la métropole ne battait que pavillon étranger.

Après qu'il eut poireauté pendant une bonne demi-heure, on le fit entrer dans un grand bureau avec des fauteuils en cuir noir et deux toiles d'Antonio Berni accrochées au mur. Son père avait connu personnellement l'artiste argentin à Buenos Aires, bien avant qu'il ne devienne célèbre.

— Mes sincères condoléances, fit un homme aux cheveux gominés comme un de ces acteurs des années cinquante.

Il se leva pour lui serrer la main, puis se rassit derrière un bureau encombré de dossiers. Que restait-il exactement des objets ayant appartenu à l'ancien consul? La main du diplomate avait la consistance d'un sandwich d'escargot. Quel âge avait-il? Quarante-huit ans? Cinquante ans? Difficile à dire, son visage métis avalant les rides avec l'impassibilité d'un bouddha de salon.

— Merci. Je suis là pour savoir qui a tué mon père, monsieur, dit-il d'une voix sans émotion.

Le fonctionnaire improvisa un sourire de circonstance. Visiblement interloqué par une demande aussi franche que directe, il se mit à parler comme s'il rédigeait un rapport administratif à voix haute:

— La nouvelle de sa mort a pris tout le monde par surprise. N'étant pas habituée à ce qu'on tue des diplomates étrangers sur son territoire, la police locale a dû consulter le FBI pour mieux diriger son enquête.

Il s'appelait Julio Alberto Pastoriza et parlait avec un accent de Buenos Aires qui sonnait faux. *De quelle obscure province est-il le rejeton parvenu ?* se demanda Gabriel sous cape, ne parvenant pas à maîtriser complètement le sentiment d'antipathie que le consul intérimaire provoquait chez lui.

— Que s'est-il exactement passé, monsieur Pastoriza ? Vous avez certainement des informations qui ne figurent pas sur le rapport qu'on m'a remis à Buenos Aires, n'est-ce pas ?

Soit parce que la formulation des questions du visiteur l'indisposait, soit parce qu'il avait d'autres chats à fouetter, le diplomate adopta une stratégie purement défensive.

— On a trouvé son cadavre avec trois balles dans le dos au pied d'une colline. C'est tout ce qu'on sait.

De toute évidence, Pastoriza se sentait mal à l'aise. Gabriel comprenait que les gens fussent embarrassés par la mort violente d'un collègue, mais pourquoi si peu d'empressement à élucider les circonstances du meurtre ?

— Pourquoi mon père a-t-il été tué, monsieur Pastoriza ?

Cherchant visiblement à se défiler, l'interpellé ne devint que plus évasif :

— Personne ici n'en a la moindre idée. Il vivait seul, sans ennemis connus.

— Et savez-vous s'il avait des amis ?

— Un diplomate n'a pas d'amis, monsieur, il n'a qu'un réseau de contacts.

Il sourit, faisant en sorte que le nœud de sa cravate Hermès parût encore plus large. Manifestement, Pastoriza devait passer pour un homme d'esprit dans le service consulaire argentin.

— Selon vous, les coups de feu, d'où seraient-ils partis ?

Quand il perdait patience, la voix de Gabriel avait tendance à se crisper. Bien malgré lui, le ton montait d'un cran et des contractions dans l'œsophage annonçaient que sa mauvaise bile pourrait faire des siennes.

— Tout ce que nous savons est écrit dans le rapport que vous avez lu à Buenos Aires.

— Vous remplacez mon père, monsieur Pastoriza, et vous n'avez rien à dire ? Ceux qui vous ont mis à sa place ont dû vous informer de ce qui lui est arrivé.

— J'en sais autant que vous, je vous assure. Écoutez, ma secrétaire vous fournira une liste avec les noms et les numéros de téléphone de toutes les autorités locales concernées par l'affaire.

Il s'empressa d'appuyer sur l'interphone avec le geste de quelqu'un pour qui le temps se compte en tranches de rentabilité immédiate.

— Et qu'allez-vous faire de ce qui lui appartenait dans ce bureau ? demanda le jeune homme tout en montrant du doigt les deux tableaux d'Antonio Berni accrochés au mur.

— Le temps que dure l'enquête, on ne touche à rien ici. Nous nous conformons aux instructions des autorités locales.

Pendant quelques secondes, Gabriel garda le silence. La fatigue accumulée depuis son arrivée le fit passer plusieurs fois la main droite sur son visage allergique aux lames des rasoirs.

— Les peintures ne parlent pas, monsieur Pastoriza, grommela-t-il en serrant les mâchoires.

— Là, je ne suis pas de votre avis : l'art est une joyeuse commère, monsieur Olmos. Pensez à tout ce que nous révèle le sourire de la Joconde.

Une jeune rouquine dont le visage légèrement pro-
gnathe rappelait certaines naines figurant dans les toiles de
Velasquez approcha un plateau avec deux tasses de café.

— Merci, Francine, n'oubliez pas l'enveloppe pour
monsieur Olmos, qui cherche le meurtrier de son père,
débita-t-il sur le ton d'un fonctionnaire pressé de changer
de dossier.

Le visage inexpressif de la jeune rouquine ne faisait que
renforcer cette impression. Gabriel comprit qu'il n'obtien-
drait rien de ce côté-là. L'Argentine, depuis toujours, ne
pleurait jamais ses morts.

Le bureau du flic chargé de l'enquête se trouvait à
Westmount, au 4225 Dorchester West. D'emblée, le quartier
anglophone fit se sentir le Sud-Américain comme un chien
dans un jeu de quilles. La lourdeur prétentieuse des immeubles bourgeois et le regard froid des passants l'indispo-
saient. Il demanda en français où se trouvaient les bureaux de
la Gendarmerie royale du Canada à un yuppie qui, un cellulaire à la main, haussa les épaules tout en pressant le pas.
Gabriel aurait voulu lui faire avaler son sans-fil d'un coup de
poing en pleine gueule, mais il lui fallait garder ses énergies
intactes au cas où son rendez-vous à la GRC ne se déroulerait
pas comme il était prévu. Sous un ciel couvert, le geste impoli
du piéton lui parut de mauvais augure. Il était onze heures et
demie et la pluie menaçait de s'abattre sur les trottoirs de la
ville. Déboussolé, ne sachant pas comment se repérer dans ce
tissu de rues dont la longueur l'exaspérait, Gabriel s'adressa à
la première personne qui se trouvait à sa portée :

— Je cherche la Gendarmerie royale du Canada, dit-il à
une jeune fille que seule une sorte de grâce dans la démarche empêchait de qualifier d'obèse.

Une barre de chocolat entrait dans sa bouche et en
sortait. On aurait dit que c'était son seul point de contact

avec le monde, un pont de cacao qui enflait ses joues comme un de ces ballons d'anniversaire prêts à s'envoler au moindre courant d'air. Sa peau avait la couleur blanche des craies que les maîtresses d'école argentines gardent contre leur poitrine pour les mettre à l'abri des voleurs.

— J'ai le malheur de vivre juste à côté, vous n'avez qu'à me suivre, murmura-t-elle en français.

Sa voix était à peine audible. *Comment se faisait-il qu'une telle quantité de calories ne produisît pas une diction plus énergique ?* s'interrogea-t-il. La jeune fille avait la lenteur de quelqu'un qui marcherait sur des œufs.

— Excusez-moi, j'ai rendez-vous à onze heures trente et il va être bientôt midi, précisa-t-il, excédé par le peu d'empressement qu'elle mettait à déplacer sa carcasse.

— Ne vous en faites pas, les flics aiment les gens qui sont en retard sur leur devoir, fit-elle avec un sérieux qui étonna son interlocuteur.

Elle parlait sans regarder à ses côtés comme un cheval qui connaît par cœur le sentier menant à l'abreuvoir.

— On m'a dit que la ponctualité est un sport national au Canada.

— D'où est-ce que vous venez ?

— De l'Argentine.

— J'aime les pays avec un nom de femme.

— Est-ce que vous aimez vivre ici ? s'informa-t-il, observant du coin de l'œil l'entêtement goulu qu'elle mettait à faire durer sa barre de chocolat.

— Ici, on trouve du chocolat chez tous les dépanneurs, même ceux qui ne parlent pas français. C'est déjà ça, non ?

Du coup, cette conscience de sa gourmandise la rendait sympathique aux yeux du visiteur.

— En Argentine, les jeunes filles comme vous ne parlent pas de ce qu'elles mangent avec des inconnus, dit-il avec douceur.

— Un étranger d'un pays avec un nom de femme ne peut pas être méchant, fut sa réponse donnée en toute simplicité, comme si la chose coulait de source.

— Comment tu t'appelles ?

Le tutoiement lui était venu spontanément à la bouche. Il avait déjà eu ce type de complicité improvisée lors d'autres rencontres avec des filles de la rue à Buenos Aires.

— Annie-Claude, c'est mon nom, mais on m'appelle Choco parce que j'aime le chocolat.

Elle s'arrêta à un feu rouge. Un sifflet intermittent annonça aux non-voyants le changement de lumière. Le fait qu'on pût aller à l'aveuglette dans les rues de la ville sans peur d'être écrasé par une voiture provoqua l'admiration du jeune homme. D'où il venait, la vue, c'était la vie, et celui qui fermait les yeux n'avait plus besoin de chaussures. À Buenos Aires, où tout le monde confondait le klaxon avec la détente d'un Colt 45, le bruit tuait d'ailleurs autant que la vitesse.

Abîmée dans sa dernière bouchée de chocolat, Choco marchait encore plus lentement que d'habitude. Il continua de l'observer à la dérobée : ses cheveux blonds découvraient des racines cacao ici et là, comme si le pinceau qui les avait teints n'avait pas osé gommer ce qu'elle aimait tant. Pendant qu'elle marchait, le temps faisait corps avec elle, gras, dodu, alléchant.

— Est-ce qu'on est encore loin ?

— Loin de quoi ?

— De la GRC, voyons !

— Pourquoi est-ce que vous voulez y aller au juste ?

Soudain, il se rendit compte qu'elle avait dû penser que la GRC n'était qu'un prétexte pour l'aborder dans la rue. Alors, sur un coup de tête, il décida de faire plaisir à la jeune fille en simulant qu'elle valait mieux qu'une visite chez les flics.

Le lendemain de sa rencontre avec Choco, les draps collaient à ses jambes comme s'ils étaient enduits de glu. En vain, il attendit qu'une voix lui dise *lève-toi et vas-y*. Alors il eut recours à l'image de Choco, se rappelant ses hanches pleines et la lueur canaille qui brillait dans ses yeux quand elle prononçait le mot « chocolat ». Commencer le jour avec une érection en règle lui permettait quelquefois de se remonter le moral, qu'il avait souvent bas. Pourtant, l'image de la jeune goulue se dégonfla comme un ballon dès qu'il se souvint qu'il devait téléphoner à la GRC pour s'excuser. *Comment expliquer à l'inspecteur chargé de l'enquête sur le meurtre du diplomate qu'il avait loupé le rendez-vous parce qu'une grosse lui était tombée dessus?* C'était la voix de son père qui lui résonnait dans le crâne. Depuis sa mort, elle ne le lâchait plus, cette voix-là.

— Annie-Claude n'est pas n'importe quelle grosse, la graisse ne lui est pas encore montée à la tête, rétorqua-t-il à voix haute, comme s'il était encore possible de discuter avec le regretté Consul.

Ignorait-il que la séduction des grosses remontait à la nuit des grottes, là où la mémoire de l'espèce se réfugiait lorsque le monde devenait menaçant à l'extérieur? La veille, grâce aux fesses de Choco, les rues de Westmount s'étaient mises à déborder de chocolat. Un ami marocain avait conseillé à la jeune fille, plutôt que de s'empiffrer de barres de chocolat au lait en cachette, d'en consommer au vu et au su de tout le monde, d'où son pas lent et gourmand sur le trottoir. Jadis, elle se démenait en secret pour n'arriver nulle part (*vous êtes d'accord, n'est-ce pas, qu'une barre de chocolat au lait ne débouche que sur un excès de poids*), tandis qu'à présent les hommes (*surtout ceux qui aiment les grosses aux cheveux blonds*) la remarquaient dans la rue. Du coup, le Sud-Américain avait déduit qu'en plus d'afficher sa passion elle était aussi racoleuse. L'idée d'arriver avec une pute à la Gendarmerie royale du Canada l'avait finalement décidé à modifier son projet initial. C'est ce qu'il se disait en tout cas pour justifier le lapin qu'il avait posé au flic chargé de l'enquête sur la mort du Consul. Puisqu'il était près de midi, Gabriel avait proposé à la jeune fille d'aller casser la croûte dans une gargote qui jurait avec le décor prétentieux du quartier.

— Célébrons notre rencontre inattendue qui m'a empêché d'aller chez les flics, avait-il dit avec l'envie subite de faire la fête.

— Désolée, y a pas de rencontre inattendue. Vous vous êtes débrouillé pour ne pas y aller, voilà tout. Faudrait être aveugle pour ne pas trouver la GRC, avait-elle répliqué avec un sourire à peine esquissé du bout des lèvres.

Ils avaient pris deux portions de pizza napolitaine et deux verres de Diet Coke. Au moment de passer au dessert, Choco avait commandé — bien entendu — une tarte au chocolat. Se penchant gentiment vers son oreille, Gabriel avait alors averti sa nouvelle amie de ne jamais manger de chocolat à la liqueur, car elle pourrait mourir de combustion spontanée. Il avait exprimé son conseil en anglais, car il avait du mal à parler en français la bouche pleine : *You should know that fat women over fifteen are at increase risk of spontaneous combustion.*

Et comme si ce n'était pas assez, il lui avait raconté l'histoire d'une cousine obèse qui, après deux verres de vin, s'était transformée en torche une nuit d'été à Buenos Aires. Choco avait pris à la blague sa petite histoire familiale tout en se tenant les côtes comme s'il lui avait caressé le nombril avec une plume d'oie.

Sous le crâne du jeune homme, boîte à fantasmes s'il en était, s'agitait le projet interlope de voir enfin complètement à poil une de ces filles assiégées par la graisse. Or, c'était une tout autre histoire de l'aborder avec l'idée de se la farcir plutôt que de se contenter de reluquer sa poitrine lorsqu'elle avait la tête tournée. Il savait que l'Amérique du Nord avait gagné le droit — au détriment de la vieille Europe — d'être la meilleure vitrine de Vénus callipyges en Occident. Si Rubens et Rembrandt reprenaient leurs pinceaux, il leur faudrait traverser l'Atlantique pour retrouver leurs modèles. Il suffisait de s'installer à n'importe quel coin de rue pour les voir surgir à gogo. Des fesses fortement développées un peu partout, belles et frétillantes sous le ciel haut perché de Montréal, dans les grandes surfaces aussi, poussant leur chariot de marchandises, cramponnées aux grottes climatisées d'une consommation effrénée. Des culs dignes des cavernes d'Ali Baba, faisant partie d'une civilisation où seul l'excès fixe les limites, les uns plus exorbitants que les autres, plus hauts en couleur, plus décidés à battre leur propre record, des culs en guerre contre la tyrannie de la ligne unique et de la minceur stéréotypée, hostiles en somme à tout ce qui freine l'expansion constante de la chair. Mais tous avec une touche personnelle, grâce à l'extrême souplesse de la graisse capable d'accueillir n'importe quelle forme, aussi exagérée soit-elle.

Une fois rentré chez Vidalina, il lui raconta en détail sa rencontre avec Choco. Il s'exprimait avec l'entrain d'un gamin qui rapporte de petits cailloux à sa maman. Elle l'écouta en pantoufles, sans manifester le moindre signe d'étonnement, comme si ses fantasmes de va-nu-pieds du tiers-monde ne la dérangeaient pas. Sa logeuse l'avait invité à partager son café venu tout droit du Guatemala, d'où son arôme à réveiller les morts. C'est en tout cas ce que Vidalina dit avec le sérieux de ceux pour qui le café est le rite le plus important de la journée. Premier petit-déjeuner ensemble, du pain grillé et de la confiture de fraises sur la table. Vidalina, en robe de chambre d'un vert reinette du Canada, trop légère pour la saison, et le regard toujours aux aguets de l'immigrante, l'examinait tout à coup avec l'expression de quelqu'un se demandant : *et qu'en ai-je à faire, moi, de la grosse ?* Rien, bien entendu, mais qui, sinon une nomade venue d'un des pays les plus pauvres de l'Amérique latine, pourrait comprendre cette fracture entre l'excès de chair et l'amour ?

Peut-être parce que son intérêt pour Choco n'aboutissait qu'à une impasse, il revint sur le sujet :

— Elle m'a donné son numéro de téléphone. Elle voudrait qu'on se revoie, dit-il comme s'il avouait quelque chose de honteux.

Après l'avoir observé d'un regard mi-narquois, mi-sévère, la maîtresse de maison vaticina :

— Vous l'appellerez, j'en suis sûre.

— Qu'est-ce qui vous fait dire ça ?

— J'ai comme l'impression que vous avez envie de faire une boulette.

— Une boulette ?

— Oui, une grosse, très grosse gaffe, précisa-t-elle en se moquant.

Tout à coup, ils rirent à l'unisson. Des deux rires, c'était celui de Vidalina qu'il préférait : juste, précis, débarrassé de tout artifice, un de ces rires qui tombe pile, ni trop tôt ni trop tard, ni trop cru ni trop cuit.

— Merci d'oublier pour un moment d'être sérieuse, Vidalina. Je sens que vous et moi, on pourrait devenir des amis.

— À moins qu'ils ne soient gais, il m'est difficile d'être amie avec les hommes, Gabriel.

— Être gai, c'est être homme deux fois.

Le visage de l'amphitryonne se rembrunit d'un coup et elle se mit à le scruter avec un zeste de méfiance. Était-ce sa consommation exagérée de café ou une vision trop rigide des frontières séparant les femmes des hommes qui figèrent ce début de complicité entre eux ?

— Il faut être un peu pinson pour être gai. Vous, vous êtes trop triste pour être gai, murmura-t-elle entre ses dents comme si elle cherchait à se rassurer.

Un visage, c'est comme une langue : un nombre limité d'éléments produit une infinité de combinaisons. Yeux, nez, bouche — les voyelles de la physionomie pour ainsi dire — composent des galeries de portraits qui ne se répètent jamais. Entre les plus attrayants et les moins réussis, les nuances sont multiples. Le visage de Fernando Da Silva, officier chargé d'enquêtes criminelles à la GRC, aurait pu servir aisément de modèle à Arcimboldo. Son nez, assez proche d'une carotte à peine sortie du jardin potager, n'aurait certes pas juré dans la palette de fruits et légumes de l'artiste milanais dont les exercices picturaux (*ghiribizzi*) parvenaient souvent à confondre la nature. Le portrait de Da Silva aurait été probablement fort drôle si l'homme n'avait pas été flic. C'était à se demander s'il n'avait pas choisi justement ce métier pour qu'on le prenne au sérieux. Toutes ces réflexions cocasses avaient beau défiler dans la tête de Gabriel, il n'en demeurait pas moins intimidé en franchissant le seuil de la GRC à Westmount.

— Pourquoi n'êtes-vous pas venu au rendez-vous d'hier ? questionna l'officier de police sans lever les yeux d'un dossier.

Dans le bureau, glacial et anonyme comme une morgue, d'immenses armoires métalliques escamotaient les murs.

— Mon réveil est tombé en panne, monsieur Da Silva, bredouilla le jeune homme sans conviction.

Alors le flic détacha les yeux de son dossier et le visiteur crut déceler du mépris dans son regard. C'était clair qu'à moins d'un revirement de situation inattendu leur dialogue ne démarrait pas d'un bon pied.

— Seriez-vous venu de si loin pour manquer vos rendez-vous avec la loi, monsieur Olmos ?

Piqué au vif, Gabriel se départit de sa timidité.

— Je viens, monsieur Da Silva, d'un pays où c'est souvent la loi qui est en retard.

Un sourire malin s'insinua entre les lèvres presque inexistantes du limier. *Comment s'y prendrait-il pour embrasser une femme au cas où cette envie effleurerait son cerveau passablement encombré de dossiers en attente ?* Il n'y avait que l'humour pour venir en aide à Gabriel mais, même là, il sentait qu'une sorte de nervosité mêlée de culpabilité gagnait son esprit, l'empêchant d'interagir en bonne et due forme avec le policier chargé de l'enquête sur le décès du Consul.

— Où est-ce que vous avez appris le français, monsieur Olmos ? interrogea Da Silva d'une voix méfiante.

— En Argentine, monsieur Da Silva. J'y ai aussi appris l'anglais. Il n'y avait que les langues étrangères qui m'intéressaient quand j'étais à l'école.

— Je croyais qu'en Argentine on parlait portugais.

— C'est au Brésil qu'on parle portugais, monsieur Da Silva. En Argentine, c'est l'espagnol, sauf quand vous rêvez d'un autre pays, alors viennent l'anglais ou le français pour vous faire oublier que vous êtes en enfer.

Le policier observa le visage de son interlocuteur avec une expression d'incompréhension et d'étonnement tout à la fois. Manifestement, il ne s'attendait pas à des répliques dignes d'un personnage théâtral plutôt que d'un jeune homme qui venait de perdre son père. Gabriel aurait voulu parler sincèrement, vider son sac, en somme, mais il en était incapable et cela le mettait mal à l'aise. Alors Da Silva, à son tour, adopta un ton impersonnel et quelque peu cabotin :

— Le Brésil, c'est la Chine de l'Amérique du Sud. Bientôt, tous les pays de la région devront parler portugais s'ils ne veulent pas manquer le train de la mondialisation, lança-t-il d'une voix faussement bourrue.

Le caillou dégarni de l'officier Da Silva n'arborait plus que deux touffes de cheveux sur les tempes. Son regard mi-moqueur, mi-inquisitorial n'inspirait guère confiance. Gabriel demeura silencieux, gêné par son ignorance du code culturel qui lui aurait peut-être permis de mieux plaider sa cause.

— Pourquoi êtes-vous ici, monsieur Olmos?

Gabriel eut le sentiment que le policier commençait à perdre patience.

— Je veux savoir qui a tué mon père, monsieur Da Silva. Voilà tout.

— Qui vous a dit qu'il a été tué? s'enquit à son tour Da Silva sur un ton faussement naïf.

Beaucoup plus que le flegme, c'était le regard méfiant du limier qui incommodait Gabriel, à croire que celui-ci figurait sur sa liste de suspects. Après tout, peut-être qu'il n'avait pas complètement tort. Combien de fois, dans ses nuits de ressentiment à Buenos Aires, Gabriel n'avait-il pas songé au sentiment de libération qu'il éprouverait si son père débarrassait le plancher?

— Vous comprenez que je n'ai pas fait un voyage de dix heures en avion pour m'entendre dire qu'on ignore si mon père a été tué ou non, n'est-ce pas, monsieur Da Silva? demanda-t-il avec un brin d'irritation.

— C'est moi qui mène l'enquête, monsieur Olmos. Parlez-moi plutôt de votre père. Qui était-il, au fait?

— Si je savais qui était mon père, je ne serais pas ici, monsieur Da Silva, bredouilla-t-il tout à coup, conscient qu'il ne s'était pas du tout préparé pour son rendez-vous à la GRC.

Le flic se mit à gribouiller des notes sur un tout petit calepin.

— Quand est-ce, la dernière fois que vous avez vu votre père?

Gabriel fit un effort pour se remémorer l'image du consul Juan Carlos Olmos lors de son dernier passage en Argentine. Puis il dit:

— C'était à Buenos Aires, il y a trois ans.

— Je vois que vous vous rencontriez assidûment, fit l'autre, cherchant visiblement à lui tirer les vers du nez.

— À l'époque, je me souviens qu'il était accompagné d'une jeune Néerlandaise qui faisait une maîtrise en arts visuels sur Antonio Berni, un peintre argentin.

— Est-ce qu'il a continué à la fréquenter, cette jeune Néerlandaise?

— Je crois que ses rapports avec les femmes étaient de courte durée, mais, ça, je ne pourrais pas l'affirmer, monsieur Da Silva.

— Vous aviez, si je comprends bien, un père communicatif, commenta-t-il avec une pointe de sarcasme dans la voix.

— D'après lui, le malentendu était le seul lien possible entre père et fils.

— Le malentendu, humm, j'ai entendu ça quelque part, dit-il comme s'il réfléchissait à voix haute.

Décidément, l'attitude de Da Silva le déconcertait. Il ne semblait pas particulièrement pressé de s'acquitter de sa tâche. Combien de temps faudrait-il attendre d'ici la fin de l'enquête? Les doutes s'ajoutant les uns aux autres, il se rappela qu'il avait très peu d'argent, pas suffisamment pour prolonger son séjour au delà de trois ou quatre semaines. Avant que Gabriel quitte les lieux, le limier lui conseilla de consulter le site Web de la GRC, http://www.rcmp-grc.gc.ca, notamment la rubrique en anglais «The Most

Wanted », afin de prendre la mesure de l'étendue du crime sur un territoire aussi vaste que le Canada. Était-ce pour qu'il comprenne pourquoi le cheval était l'emblème de la maison ?

Une fois dans la rue, il se sentit découragé et impuissant. Le pire, c'était cette impression d'être de trop dans un pays dont il ne comprenait rien. Pourquoi diable s'obstiner à mettre le nez dans un pays aussi froid ? En vain, il cliquerait sur sa souris une et mille fois, jamais il ne réussirait à briser la glace. Puis ce père lointain, n'avait-il pas cherché à se transformer en pierre, lui aussi ? En ce moment précis, il vit son père comme une sorte de météorite ayant donné naissance à ce cratère d'ingratitude qu'on appelle fils. Les gens s'apercevaient sans doute que ce n'était pas l'amour qui poussait Gabriel à poser des questions sur la mort de son père. Voilà probablement pourquoi il ne rencontrait que le vide autour de lui. Qui pouvait d'ailleurs donner crédit à un fils comme lui ? En tout cas, pas l'inspecteur-détective Fernando Da Silva de la GRC. Qui était-il, Gabriel Olmos ? Un retard venu du Sud, un accident de parcours que lui-même, Gabriel Olmos, aurait voulu éviter le premier. Mais puisqu'on n'a pas le choix, comment se repentir d'être né ? *Tu devais être fou la nuit où ta semence toléra ma venue au monde, n'est-ce pas, papa ?* Alors la voix du défunt résonna encore une fois. *Maintenant que tu es* out *de l'Argentine, tu arrives comme un cheveu sur la soupe, même que tu gênes. Laisse tomber cette enquête, Gabriel, ne vois-tu pas qu'en dehors de ton ressentiment tu n'existes pas, mon fils ?*

4

— En quittant Buenos Aires, je pensais que tout deviendrait clair. Pourquoi fait-il encore plus noir ici que là-bas ?

Voilà la question pour le moins bizarre posée par Gabriel à Vidalina un matin où le ressac de la veille alourdissait ses paupières. Elle l'observa avec l'air de soupeser l'étendue de son désarroi.

— Le soleil à l'étranger n'est que pour les touristes, répondit l'immigrée avec cette voix grave de sœur aînée qui le rassurait malgré lui.

Il caressa du regard sa tasse de café, heureux de s'accrocher à quelque chose de concret avant que la matinée ne s'émiette comme une tranche de pain entre les mains d'un enfant.

Ce matin-là, la maîtresse de maison lui servit un *rocío de gallo* (rosée de coq), café à la menthe, probablement pour l'aider à remettre sa petite crête de coq en place.

Les cheveux soigneusement coiffés et un zeste de parfum au citron flottant dans l'air, on voyait bien qu'elle avait fait des efforts pour se rendre plus attirante aux yeux du visiteur.

Sans que Gabriel parvienne à comprendre pourquoi, le corps de Vidalina — en dépit de quelques attraits — ne lui disait strictement rien.

Il grommela :

— L'étranger, en ce qui me concerne, c'est mon père.

— Pourquoi venir ici ? Le père, on le cherche là où il est né, insista-t-elle avec une franchise de paysanne qui minait à la base toute tentative de séduction.

Il se dit avec ennui qu'il faudrait donc reparler de ça, vider le sac par lequel s'écoulait cette matière gluante, incommensurable, qu'on appelait « papa ». *Pas-pas*, une double négation en quelque sorte.

— Tant qu'il était en vie, je me suis arrangé pour ne pas croiser son chemin. Maintenant qu'il n'est plus là, je suis ses traces. Comprenne qui pourra, fit-il avec lassitude.

— Laissez filer le passé, Gabriel. Le futur, ici, c'est la neige. Elle efface tout.

Il se rappela le rapport qu'il avait lu à Buenos Aires avant de prendre l'avion pour Montréal, puis il imagina l'escalier raide et tortueux par lequel était monté le Consul l'après-midi où le plomb avait eu raison de sa vie. Mais sa voix, elle, vrombissait toujours comme une abeille. Logée entre ses deux oreilles, cette voix ne lâchait pas prise. On aurait même dit qu'au fil des jours son emprise ne faisait que s'accentuer. *Une voix, Vidalina, qu'est-ce qu'une voix ?* Comment faire comprendre à cette femme qui lui préparait du café chaud le matin que la voix du défunt était incrustée dans son cerveau comme une balle dont l'extraction coûterait probablement la vie au malade ?

Il scruta le visage cuivré de la Guatémaltèque, ses pommettes saillantes, la noirceur presque bleutée de sa chevelure. Incapable de détacher les yeux du visage de cette femme dont il ignorait tout sauf qu'elle était généreuse avec les métèques de son espèce, il sourit dans l'espoir de lui témoigner sa gratitude.

— Mon père est mort, mais j'entends toujours sa voix, se contenta-t-il de l'informer avec l'espoir de quelqu'un qui jette une bouteille à la mer.

— Trop de cire dans vos oreilles, Gabriel, vous avez besoin d'un bon lavement, ne cherchez pas plus loin.

Le silence s'installant d'un coup, il eut le sentiment que le soutien de cette femme, sa compréhension d'immigrée, il les perdrait aussi.

— Je suis venu pour savoir ce qui est arrivé à mon père, voilà le but de mon voyage, Vidalina.

Elle garda un bref silence, puis sa voix toujours posée laissa couler cette expérience de nomade qui était la sienne :

— On apprend toujours à ses dépens, vous savez. À quoi bon vous raconter que j'ai perdu des années de ma vie dans des quêtes impossibles, puisque vous n'en ferez qu'à votre tête ?

— Si je ne bouge pas, personne ne fera rien.

De temps en temps, il entendait les bruits des voisins qui batifolaient en haut. C'était probablement ça aussi, la pauvreté à Montréal : être exposé en permanence aux humeurs des autres.

— Le rendez-vous avec la police n'a donc rien donné ? s'informa-t-elle.

— Pas vraiment. À croire que la mort d'un citoyen du tiers-monde ne figure pas parmi les priorités de la GRC. On a confié le dossier à un flic qui a l'air d'être aussi rapide qu'un hippopotame dans une piscine.

— C'est probablement mieux comme ça. Quand les flics s'acharnent sur un dossier, ça peut faire des dégâts. J'en sais quelque chose, moi.

Le visage de Vidalina s'assombrit. Un léger tremblement tordait ses lèvres. *Mon Dieu, faites en sorte qu'elle ne se mette pas à chialer*, implora le voyageur. Mais voilà que de grosses larmes ruisselaient déjà sur les joues de l'expatriée. Gabriel aurait souhaité lui prendre la main en signe de compassion, mais il n'en fit rien. Et si elle s'imaginait qu'en plus de ne pas payer son écot il voulait aussi la sauter ?

— Dans ma famille, à Guatemala City, j'ai été la seule à sauver ma peau. Il y a des jours où je me sens si coupable d'être encore vivante, dit-elle, réprimant avec peine un sanglot.

— Je comprends, murmura-t-il, beaucoup plus affligé par ses propres limitations affectives que par un récit dont l'excès de sentiment lui voilait le contenu.

Vidalina dut remarquer son embarras, car elle se ressaisit aussitôt :

— Excusez-moi, vous en avez assez avec la mort de votre père, je suis désolée.

Gêné, il bredouilla :

— Ce n'est rien. Je ne resterai pas longtemps ici, vous savez. Je rentrerai dès que tout sera réglé.

Elle le regarda comme s'il venait de faire une blague. Alors une expression ironique plissa ses lèvres. Puis elle dit sur un ton soudainement désinvolte :

— C'est ce qu'ils disent tous avant de demander le statut de réfugié. Puis vous les voyez traîner sur la Main comme des âmes en peine.

Après deux heures en autocar, il arriva à Ottawa. Un voyage rempli de doutes et de remords. C'était peut-être ça aussi, la mort d'un père, outre cette sensation bizarre d'être le prochain sur la liste.

Il fit le trajet les yeux fermés, sans remarquer le moment où l'autoroute changeait de province. Le moment où l'on traverse la frontière et commence le pays de fond — *Welcome to Ontario open to business* —, berceau de la Confédération. Cet itinéraire menait d'une culture beaucoup plus proche de la sienne à un bloc de glace. Le Consul l'avait emprunté pendant les trois dernières années de sa vie, lorsqu'il quittait son bureau de la rue Peel pour se rendre à Ottawa le premier lundi de chaque mois.

Mais qui peut admirer le paysage par la fenêtre d'un autocar avec le cadavre d'un père sur le dos ? Incapable de s'extirper d'une mémoire révolue, il entreprit le voyage avec le vieux manège de l'enfance assis à ses côtés. Voilà pourquoi l'apparition des rues de Buenos Aires, de ses places intimes et des balcons vétustes ne le prit pas au dépourvu. La chaleur intime de ses places préférées lui manquant tout à coup, il pensa que mourir en exil, c'était mourir deux fois.

Le terminus d'Ottawa lui parut petit et exigu pour une capitale du G7. Il prit un taxi pour se rendre aux bureaux de l'ambassade, au centre-ville. Il y avait rendez-vous avec un diplomate dont le nom à particule (Carlos del Paso, del Pozo, del Peso ?) était resté sur sa table de nuit à Montréal. Cet homme serait-il un allié ou un obstacle de plus dans sa quête de vérité ? Depuis qu'il était enfin arrivé à Montréal, l'opacité entourant le décès de son père n'avait fait que s'intensifier. Aurait-il perdu le nord en quittant le Sud ?

Des cheveux noirs rigoureusement collés à la boîte crânienne, une mèche sombre aux reflets rougeâtres (teinte au henné ?) s'échappait et croisait le front haut et bombé du diplomate de carrière. Trop coquette pour être vraie, cette mèche que sa main relevait sans cesse avec un geste d'impatience. Le diplomate gigotait sur son siège comme un pur-sang qui attend le coup de feu pour le départ. Pour l'instant, il étalait une élégance de classe. Un de ces hommes qui, devant le dernier miroir de la maison, porte une main empressée sur ses cils en se demandant *mon Dieu pourquoi ne m'as-Tu pas fait femme ?* Ses traits raffinés s'animaient sous la lumière venant du plafond. Un peu trop crue, cette lumière, pour un visage aussi fin qui se serait sans doute mieux accommodé du dégradé d'un éclairage tout en douceur. La beauté du diplomate sautait aux yeux, mais son statut social irritait Gabriel ainsi que sa

parole précieuse en décalage avec celle de la rue. Sa lecture
de Borges lui donnait le droit d'évoquer le temps qui *fati-*
guait les trottoirs de Buenos Aires. Satisfait de ses phrases,
même si aucune ne lui appartenait en propre, il s'écoutait
parler. On aurait dit que le visiteur n'était là que pour lui
servir de boîte de résonance. Alors il fallait que Gabriel le
pousse un peu. Gentiment au début, puis avec plus d'insistance. D'après le fonctionnaire, le consul Olmos était
réservé, peu enclin à révéler des aspects de sa vie privée. Il
ajouta que sa disparition était une perte pour le pays au
moment où ce dernier avait le plus besoin de gens comme
le regretté Consul. *L'Argentine, c'est la mort dans l'âme que je*
le dis, n'est pas viable, vous comprenez, n'est-ce pas ? Gabriel
avait du mal à reconnaître le portrait de son père dans des
énoncés faits pour des rapports administratifs. Le diplomate précisa qu'il valait mieux ne pas intervenir dans
l'enquête en cours. *Pourquoi ?* Peut-être parce qu'il fronça
trop les sourcils, la voix de son interlocuteur devint encore
plus persuasive. *Ils sont très chatouilleux. Qui ? Les policiers*
locaux, bien sûr. Ils n'aiment pas trop qu'on leur dise ce qu'il
faut faire. Par-dessus le marché, depuis le 11 septembre, tout est
devenu plus compliqué. Ils doivent s'assurer que la sécurité
nationale n'est pas du tout concernée. Ça peut prendre du temps.
La Gendarmerie royale du Canada est encore à cheval, vous
comprenez ? Il sourit, comme s'il avait fait une bonne farce.
Puis, en guise de *requiem*, il conclut que la disparition
intempestive d'un père, si elle ne nous tue pas, nous rend
plus résistants. *Plus résistants à quoi ?* Gabriel s'obstinait,
alors que le diplomate voulait manifestement passer à
autre chose, probablement parler de la vie plutôt que de la
mort. *Qu'est-ce qu'il faisait quand il venait ici ?* Comme la
sirène d'une ambulance, sa question exprimait l'urgence
de ceux qui arrivent lorsque le pire est déjà passé. *Les tâches*
d'un consul sont multiples, à plus forte raison s'il s'en acquitte

comme il faut : il *dynamise les accords commerciaux, il veille au respect des intérêts nationaux, il s'occupe des besoins de ses compatriotes, il… Pourquoi mon père a-t-il été tué ?* l'interrompit-il brusquement. Voilà la question qui brûlait ses lèvres depuis le matin où Buenos Aires avait cessé d'être un refuge pour ses vagabondages. Soucieux avant tout de ne pas se compromettre, le fonctionnaire l'observa d'un air interloqué. *Ce n'est pas à moi qu'il faut poser cette question, voyons, c'est à la police d'y répondre*, argua-t-il d'une voix gênée. Bien que poli, Gabriel n'en démordrait pas tant que son interlocuteur n'aurait pas fourni les renseignements sans lesquels son voyage à Montréal ne serait qu'un échec. *Quel genre de vie menait mon père en dehors de son travail ? Ici, à l'ambassade, vous en savez sans doute quelque chose*, insista-t-il. Le visage du diplomate qui s'appelait Carlos (del Paso, del Pozo, del Peso ?) pâlit tout à coup. Qui était-il pour lui parler sur ce ton ? *Désolé, vraiment désolé, mais je ne peux pas parler de quelque chose que j'ignore.* Devant son bredouillement, Gabriel augmenta d'un cran la pression sur lui. *Tout le monde sait que mon père était un coureur de jupons. Il doit bien y en avoir, des femmes qui l'ont connu et qui pourraient en témoigner ? Donnez-moi un nom, rien qu'un nom, et je vous laisse tranquille.* Abasourdi par l'urgence de cette demande, le diplomate releva sa mèche d'une main légèrement tremblante, puis se racla la gorge. *Tout ce que je sais figure sur le rapport qu'on vous a remis à Buenos Aires. Ce n'était pas la peine de venir ici, vous savez.* Alors, Gabriel sortit de ses gonds : *Faudra-t-il que je pique une crise comme un gamin à qui on refuse un jouet pour que vous parliez ?* questionna-t-il en haussant le ton de sa voix d'un nouveau cran. *Claudine Donnadieu-Frost*, murmura l'autre, défaisant d'une main nerveuse le nœud de sa cravate en soie. *C'était la dernière maîtresse de votre père, dans cette ville en tout cas. Vous*

pourrez lui parler en français, en anglais ou en espagnol. Elle
est très douée pour les langues.

La tension du tête-à-tête avec le diplomate se dissipa
aussitôt que Gabriel sortit dans la rue. Avant de quitter les
locaux de l'ambassade, il remit l'adresse et le numéro de
téléphone du *bed-and-breakfast* où il logeait ainsi que ses
coordonnées à Montréal. *Je serais fort reconnaissant de toute*
information susceptible de m'aider à éclaircir les circonstances
entourant la mort de mon père, insista-t-il auprès de la
réceptionniste qui l'écouta d'une oreille attentive.

L'air frais qui pressait le pas des gens lui fit du bien. Il
les imita. Claudine Donnadieu-Frost, 33 Daly Avenue à
Sandy Hill. Voilà que, muni d'un nom et d'une adresse, sa
vie reprenait un sens, ne serait-ce que l'espace de quelques
pâtés de maisons. L'histoire de cette femme qu'on disait
avoir été la dernière maîtresse de son père accaparait à
présent l'imagination du voyageur. On aurait dit qu'elle
justifiait subitement son séjour au Canada. En allant à la
rencontre de la dernière femme aimée par le Consul, sans
savoir pourquoi, il se demanda s'il ne lui faudrait pas, à lui
aussi, mordre à l'une de ces pommes que son père avait
croquées à moitié.

Il s'arrêta net devant une maison victorienne de trois
étages en brique rouge portant l'âge du Christ. Elle paraissait trop grande pour une femme seule. Le sentier menant
au perron était long comme une traîne de mariée. Pris
d'hésitation, il regarda en arrière pour voir des érables
centenaires immobilisés au bord du trottoir. En face, des
maisons cossues mijotaient leur bonheur bourgeois dans
une quiétude de village anglais. Derrière les rideaux, il
imagina de vieilles dames anglaises tenant leurs tasses de
thé avec le petit doigt levé. Le jour se couchait sur la colline
de sable des Anglais et, pour une fois, il n'arriva pas en

retard au rendez-vous avec le passé de son père. En gravissant les marches, il se sentit assailli de nouveau par des doutes. Pourquoi ne pas laisser les choses là où elles étaient? Dès que la porte s'ouvrirait, il verrait la première pièce d'un casse-tête féminin qu'il eût probablement mieux valu laisser tel quel. Du coup, il songea à Vidalina et l'envie le prit de se retrouver dans sa cuisine avec une bonne tasse de café chaud entre les mains.

La porte s'ouvrit et Claudine Donnadieu-Frost, la dernière conquête de Juan Carlos Olmos — celle pour qui il avait négligé d'autres engagements bien plus pressants —, le regarda depuis le fond transparent de ses yeux d'un bleu de piscine à la *Paris-Match*. Blonde, menue, gracieuse, son sourire découvrait des dents étincelantes. Elle ressemblait à une photo publicitaire pour une pâte dentifrice. Joviale, sympathique, tonique, des dents saines dans un corps sain. L'image de l'Amérique, quoi. Il comprit que tout y était rapide, *fast food*, *fast love*, *fast smile*, et surtout : *fast death*. L'aspect jeune et fringant de la femme le surprit. Elle avait trente-huit ans, mais personne ne lui en aurait donné plus de vingt-cinq. Claudine se plaisait à confondre les hommes, comme la nuit d'été où elle se présenta devant le Consul dans les jardins de la résidence de l'ambassade argentine à Rockliff, le quartier chic d'Ottawa.

— Je m'appelle Gabriel Olmos. On m'assure que vous avez connu mon père, dit-il, les yeux braqués sur elle.

Drapée d'un sourire blindé qui la mettait à l'abri de toute forme de menace, elle l'invita à entrer dans la maison.

— Je prenais le thé, voulez-vous m'accompagner? demanda-t-elle tandis qu'il s'asseyait dans un fauteuil au salon.

— Avec plaisir, répondit-il, affable et charmé par l'accueil qui lui était fait.

La cérémonie du thé ressemblait à l'après-midi d'été où le Consul était passé chez elle pour la première fois. Elle avait alors une robe sombre mettant en relief l'éclat de ses cheveux. La somptueuse maison victorienne héritée de ses parents était à vrai dire sa meilleure parure. C'était ce qu'avait pensé son père en franchissant le seuil de sa porte, comme Gabriel venait tout juste de le faire. Les mêmes gestes de bienvenue et un rituel précis autour d'une théière en porcelaine ayant appartenu à la grand-mère. *Tea time* et le monde demeurait suspendu en l'air comme un ballon d'anniversaire. S'il s'était efforcé un petit peu plus, il aurait presque pu prendre la place du défunt et, à ce moment-là, elle lui aurait montré l'escalier qui montait jusqu'à sa chambre meublée d'un lit *queen* à baldaquin. Si tel avait été le cas, il se serait engagé dans l'escalier dont les dernières marches étaient particulièrement raides. Il n'aurait pas fallu oublier non plus de baisser le couvercle des W.-C. après avoir pissé dans sa salle de bain, car Claudine Donnadieu-Frost n'aimait pas que ses amants occasionnels oubliassent que les femmes urinent assises.

— Du sucre ?

— Oui, s'il vous plaît.

Elle avait des mains très blanches et ses doigts fins auraient pu être ceux d'une pianiste. Il ne put s'empêcher de songer aux sensations particulièrement voluptueuses qu'ils avaient dû éveiller lorsqu'ils se posaient sur le corps du Consul.

— Votre père aimait tout ce qui était sucré, le chocolat, notamment, dont il avait des réserves stratégiques, disait-il, dans ses tiroirs à Montréal.

Elle parlait sans effort, les mots venant à sa bouche avec spontanéité. Le tout dans une diction claire et précise. Franco-ontarienne ? Québécoise ? Difficile à dire.

— Quand j'étais petit, papa broyait déjà du noir tout en cassant du sucre sur le dos de maman, raconta-t-il comme s'il se parlait à lui-même.

Alors le rire de Claudine éclata d'un coup. Un rire d'enfant qui ne sait pas se retenir. C'était ça qui la rendait provocante, voire imprévisible, sa bonne humeur faisant flèche de tout bois.

— Pourquoi mon père a-t-il été assassiné? Le savez-vous? s'enquit-il à la hâte, sans l'ombre d'une transition.

Le rire de la jeune femme s'interrompit brusquement. En plus d'être intempestive, la question était maladroite. Les visiteurs désireux de passer à l'étage supérieur venaient d'ailleurs tous avec une bouteille de champagne sous le bras et ne posaient jamais de question. Pour Claudine Donnadieu-Frost, un homme ne pouvait que monter ou descendre. Jeu de bascule élémentaire et féroce, plus un homme montait, plus elle avait du mal à regagner le rez-de-chaussée avec une théière entre les mains. Voilà pourquoi la mort du Consul l'avait attristée et soulagée à la fois.

— Je ne sais pas, je n'en ai pas la moindre idée. Qu'est-ce que vous en pensez, vous? demanda-t-elle à son tour manifestement embarrassée.

— Moi? J'étais à Buenos Aires.

— C'est loin, ça. J'aurais beaucoup aimé y aller avec votre père, du reste. Cette ville le hantait, il en parlait tout le temps.

— Est-ce qu'il parlait aussi de quelque chose qui n'allait pas? Se sentait-il menacé?

— Aucune menace ne semblait exister quand on était ensemble.

— Parlez-moi de vos rencontres, ça serait un bon début, suggéra-t-il en essayant de faire passer sa muflerie avec un léger sourire.

— Le problème avec les hommes, notamment ceux de sa génération, c'est que souvent tout reste enfermé entre quatre murs, dit-elle.

— C'était ça qui vous attirait chez lui ?

Le regardant comme si elle le faisait pour la première fois, elle dit :

— En dehors du fait qu'on était bien ensemble, il n'y a plus rien à raconter.

Trop inquiet pour engager un dialogue harmonieux avec la maîtresse de maison, Gabriel ne parvenait pas à trouver le ton juste :

— Papa était donc comme ça, quelqu'un qui ne s'intéressait qu'au corps d'une femme ? interrogea-t-il.

— Juan Carlos ne m'a jamais laissée prendre d'initiatives, il organisait toutes nos rencontres dans les moindres détails. Au début, je ne comprenais pas, puis je me suis dit qu'il voulait éviter à tout prix que quelque chose ne vienne troubler son équilibre. Voilà tout.

— Quel était son équilibre ? s'informa-t-il, incapable de prendre du recul par rapport à l'anxiété qui le rendait maladroit, voire impoli, devant la jeune femme.

Les yeux bleus de magazine à la mode de Claudine Donnadieu-Frost se posèrent sur lui avec un brin de pitié.

Il y eut un silence, puis elle dit :

— Celui d'un séducteur, probablement.

Le mot ayant été prononcé, les traits de son visage se décrispèrent.

Elle reprit :

— Je n'ai jamais su avec qui il avait été avant, ni avec qui il serait après notre rencontre. Il y a des hommes comme ça, vous savez. Il était d'une discrétion à toute épreuve, chose que j'apprécie au plus haut point, cela va sans dire.

— Pourtant, à l'ambassade, ils vous connaissent, souligna-t-il sur un ton de goujat.

— Je suis traductrice officielle, c'est normal.

— C'est ça qui vous a mise sur son chemin ?

— L'amour, c'est toujours une affaire de langues étrangères, n'est-ce pas ?

Claudine se moquait de lui, sa manière probablement de répondre à la pression qu'il exerçait sur elle.

— Papa était polyglotte, ce qui explique sans doute pourquoi il était en rapport avec plusieurs femmes à la fois, commenta-t-il d'une voix ignoble.

— Se servir exclusivement d'une langue, c'est se condamner à faire l'amour avec une seule femme. Voilà ce qu'il disait.

— En quelle langue parliez-vous ?

— L'amour, c'est comme le golf, il faut des bâtons différents en fonction des accidents du terrain sur lequel on joue.

Elle ne prenait pas du tout au sérieux son enquête. Pire encore, elle devait penser qu'il n'avait pas l'envergure du fils exigée par la mémoire du Consul.

Avec l'aisance recherchée d'un croquis de Beardsley, elle croisait les jambes en prenant son thé. Ces dessins rapides exécutés à main levée qu'elle projetait à l'heure du thé plaisaient beaucoup à son père quand il arrivait avec plusieurs cocktails derrière le nœud papillon. Il s'asseyait là où il était pour l'envelopper avec son regard, sans jamais solliciter autre chose que ce qu'elle pouvait donner, Claudine Donnadieu-Frost, la dernière maîtresse du regretté Consul.

Après la cérémonie du thé, la traductrice avait sorti son meilleur porto pour lui souhaiter la bienvenue en bonne et due forme dans une ville où même les écureuils, selon elle, réclamaient au gouvernement fédéral un téléviseur pour ne pas crever d'ennui. À partir de ce moment, sans comprendre exactement pourquoi, il sentit qu'il devait quitter cette maison. Était-ce la peur qui le faisait partir ? Peur de quoi au juste ? De la femme qu'il avait devant lui ou de lui-même? Peur de ne pas être à la hauteur des attentes qu'il décelait dans les yeux bleus de son interlocutrice? Dès lors, la conversation ne fut qu'une lente agonie. Incapable tout à coup de nourrir le dialogue, Gabriel manifesta son intention de rentrer au *bed-and-breakfast*. Alors elle lui offrit la chambre des invités située sous les combles, *la maison, comme vous voyez, est bien trop grande pour moi toute seule, puis c'est la moindre des choses à faire pour le fils d'un ami décédé dans des circonstances aussi tragiques.* Claudine Donnadieu-Frost avait parlé à voix basse, comme si elle ne voulait pas s'entendre elle-même. *Merci, mais je ne veux rien devoir à mon père*, rétorqua-t-il sur un ton quelque peu tranchant, et il s'en alla.

Le voyageur avait gagné le *bed-and-breakfast* accompagné par le carillon des cloches d'une église voisine. Puis, une fois le silence revenu, il avait goûté avec gourmandise la tranquillité des lieux. Trouvé sur le Web dans un cybercafé du Plateau, le gîte gardait son calme comme si la fébrilité d'un jour nouveau ne le concernait pas. Il s'était réveillé avec l'arôme du café chaud qui venait du salon. Une fille évasée comme une amphore égyptienne y servait aux tables, le sourire aux lèvres. Sa peau d'un ocre pâle arborait un mélange de plusieurs argiles. De bonne grâce, Gabriel les aurait toutes pétries avec la patience d'un céramiste vivant de ses deux mains. Le jeune homme l'admira avec une certaine tristesse tant qu'elle se trouva dans son champ de vision. Il se sentait déprimé à la suite de sa piètre performance de la veille chez Claudine Donnadieu-Frost. Dire qu'il avait quitté la belle victorienne en laissant derrière lui l'image d'un rustre, une sorte de péquenaud démuni des outils minimaux de séduction à l'aide desquels un homme affiche son désir sans effarer sa proie.

— Un appel pour vous, monsieur.

C'était la voix douce et traînante de la serveuse qui refaisait surface avec un sans-fil sur son plateau. Étonné, il hésita avant de prendre l'appareil. Serait-ce quelqu'un de l'ambassade qui voulait lui dire d'arrêter d'interroger toutes les personnes ayant connu son père ? Après tout, s'il avait laissé ses coordonnées, c'était bien pour qu'on l'appelle. Alors il se décida à faire face à la musique.

— Gabriel Olmos ? demanda une voix grave de jeune femme.

Ignorant pourquoi, il eut un frisson en écoutant cette voix. D'instinct, il préféra blaguer afin de se remettre d'aplomb :

— Chaque fois que quelqu'un prononce mon nom, je cherche un miroir pour savoir si j'y suis, répondit-il en cherchant à se donner un air décontracté.

— Moi, quand je me regarde dans un miroir, j'ai l'impression d'affronter un peloton d'exécution.

À l'autre bout du fil, la voix de l'inconnue transmettait trop d'intensité pour être prise à la légère. On aurait dit une comédienne en train de répéter son rôle.

Soucieux de ne pas commettre la même erreur qu'avec la traductrice, il adoucit sa voix au point de l'assimiler à celle des feuilletons que les bonnes écoutaient à la radio quand il était enfant :

— Avec une voix comme la vôtre, il n'y a pas d'arme qui résiste, fit-il sur un ton galant.

Il y eut un silence, puis elle dit comme si elle se débarrassait d'un poids :

— J'ai connu votre père. Je peux vous aider à savoir qui l'a tué. Je m'appelle Ana Stein.

Il avait rendez-vous avec Ana Stein au Coffin's Nail, *un bistrot minable de la Basse-Ville*, d'après Thérèse, la patronne du *bed-and-breakfast*, quand il lui demanda quel était le chemin le plus court pour y arriver. *À votre place, j'irais ailleurs, il y a tellement de cafés charmants à Ottawa*, suggéra-t-elle en lui faisant les yeux doux. Quinquagénaire aux formes pulpeuses, tout chez elle sentait l'appel du large. Originaire de Saint-Malo, veuve esseulée, ses remparts agitaient des sourires dans chaque tourelle.

Il arriva au bistrot en avance. Des gueules patibulaires au regard hébété lui souhaitèrent la bienvenue. Pourquoi en serait-il autrement? Pour ce troupeau de ratés, sa tronche de métèque était la dernière des provocations. Pour quelle raison lui avait-elle donné rendez-vous dans un endroit aussi sinistre? Qui était Ana Stein? Encore une de ces maîtresses du Consul qui prendrait plaisir à brouiller les pistes? À quoi bon l'écouter? Pourquoi ne pas mettre un terme à cette quête absurde dans laquelle il s'était engagé à corps perdu? Pourquoi ne pas baisser les bras comme tout un chacun face à l'impunité de la mort? Comptait-il faire l'inventaire de toutes les femmes aimées par son père? Quand la galerie des portraits serait complète, en ferait-il cadeau à la GRC? Quelle fonction précise remplissaient-ils, ces portraits, dans sa quête de vérité? Était-ce l'alibi qu'il se donnait pour faire croire qu'il existait toujours pour quelqu'un? Et s'il était déjà mort, comme ce père dont il recherchait les traces? *Ana Stein, drôle de nom pour une maîtresse, dur, âpre, implacable*, ruminait-il, la cherchant à travers une fumée épaisse qui transgressait ouvertement la loi municipale interdisant de fumer dans les lieux publics. Se cachait-elle derrière ce journal-là, non, car en frappant à la une du *Ottawa Citizen*, il vit la tête de la lectrice et sa laideur lui dit que son père n'aurait pas pu l'aimer, pas celle-là en tout cas. C'était l'inexpressivité de ses traits qui faisait sa laideur, il y avait comme ça des visages réfractaires à l'expression, à la circulation du désir, et on ne pouvait que s'y heurter. Là au moins, son goût coïncidait avec celui du Consul, qui n'aimait pas non plus être meurtri par ces femmes n'offrant aucune prise à la séduction. Une femme qu'on ne peut pas séduire demeurait une énigme et une menace pour lui. Était-ce cela qui l'avait décidé à devenir diplomate? Il n'en savait rien. Alors qu'il ne s'y attendait pas du tout, la femme releva la tête et sourit. Émue peut-être par la gueule de métèque du nouvel arrivé, elle s'imagina qu'il était sa dernière chance de la saison avant de sombrer encore une fois dans l'hiver. *What are you looking for?* s'informa-t-elle d'une voix éraillée par le tabac. *I'm looking for Ana Shtaïn. Do you know her?* Il prononça *Shtaïn* comme s'il voulait faire ressortir le côté germanique du patronyme. *Ana Shtaïn?* répéta l'inconnue, faisant un effort d'articulation qui lui tordit les lèvres. Il dut réprimer une envie soudaine de la gifler. *Oui, Ana Shataïn, j'ai rendez-vous avec elle à midi,* maugréa-t-il en se sentant comme un chien dans un jeu de quilles. *Vous êtes en avance de cinq minutes, monsieur,* expliqua la femme, jetant un coup d'œil sur sa montre-bracelet en plastique. *Thank you for your time,* marmonna-t-il en lui tournant le dos. Assis à une table près de l'entrée, il attendit alors impatiemment l'arrivée de cette femme dont il ne connaissait que le nom, froid et dur comme une pierre. *Un nom de personnage digne d'un roman policier,* réfléchit-il, l'air songeur. Curieusement, ce fut dans la fébrilité de cette attente qu'il se remémora le jour où son père avait quitté Buenos Aires pour occuper son premier poste à l'étranger. *Je viens te dire adieu,* avait-il annoncé, et ses yeux d'enfant avaient découvert à ce moment-là le taxi qui attendait son père au bord du trottoir pour l'amener à l'aéroport. Sa voix sonnait lointaine, comme s'il était déjà parti.

Un quart d'heure s'écoula sans que personne vînt. Ses oreilles vrombissaient comme si un essaim d'abeilles y avait élu domicile. Il ferma les yeux pour mieux l'écouter.

Aigu et continu, le bruit taraudait son crâne avec la précision d'un bistouri. Puis il se mit à en vouloir à cette femme
avant même de la connaître.

— Gabriel Olmos ?

Il leva les yeux, c'était elle. Son visage, la beauté de son
visage, le fit rougir. Rien, absolument rien ne laissait
présager l'irruption de ce visage au milieu de cette faune
au bout du rouleau. Elle était belle de la tête aux pieds,
mais c'était l'intensité du regard et la manière de le fixer
qui le troublaient le plus.

Alors, il baissa les yeux.

— Gabriel Olmos, répéta-t-elle avec le ton de quelqu'un qui aurait trouvé une réponse.

— Je ne sais pas qui il est, mais je vous promets de vous
le présenter dès que je le rencontrerai, murmura-t-il.

Ébloui, il était ébloui. Aussi aurait-il voulu la regarder
droit dans les yeux, mais une sorte de honte l'en empêchait.

— J'aime les hommes ponctuels, même s'ils ne savent
pas qui ils sont, dit Ana Stein comme si elle cherchait à le
taquiner.

Sa voix rauque semblait ignorer la peur.

Elle s'assit en face de lui ; impossible dès lors de ne pas
voir ses cheveux noirs qui contrastaient avec la pâleur de
son visage. Petit à petit, il s'était remis à la regarder. Un
tailleur d'un gris anthracite mettait en valeur la sveltesse
de son corps.

*Ana Stein, je te le demande, pourquoi le choisir, lui, ce fils
ingrat qui m'ignora de mon vivant, et dont tu ne feras qu'une
bouchée pour les charognards ? Serait-ce ta manière de me dire
adieu ? Ta manière de t'assurer que je ne laisse pas de traces
derrière moi ?*

— Je ne suis ponctuel que pour collectionner des
échecs, bredouilla-t-il.

Elle sourit. Manifestement, ce qu'il disait ne la touchait pas.

— Où que j'aille, j'arrive toujours en retard, c'est plus fort que moi, avoua-t-elle d'emblée.

— Ce n'est pas vous qui êtes en retard, c'est moi qui suis en avance.

— Je n'aime pas trop la politesse, il vaut mieux que vous le sachiez tout de suite. Qu'est-ce que vous êtes venu chercher ici ? l'interrogea-t-elle de but en blanc.

— Je veux savoir tout simplement pourquoi mon père a été tué, dit-il.

Elle baissa la tête. Il n'eut pas besoin de l'écouter pour comprendre qu'elle figurait, elle aussi, sur la liste des maîtresses du Consul.

— On nous a remis à l'ambassade votre nom avec deux numéros de téléphone : un ici et l'autre à Montréal. J'ai beaucoup hésité avant de vous appeler, dit Ana Stein.

Tout à coup, sa voix flanchait. On aurait dit qu'une faiblesse subite la terrassait.

— Vous travaillez à l'ambassade ? s'empressa-t-il de demander, soucieux de garder le contact.

Elle demeura silencieuse. Il regretta d'avoir posé sa question. Décidément, il n'était pas doué pour jouer au flic.

— Pendant que je vous écoutais au téléphone, c'était comme si la voix de Juan Carlos était de retour, fit-elle au bout d'un long silence.

— Je n'ai jamais voulu ressembler à mon père, autant vous le dire sans détour, dit-il, piqué au vif par une assimilation qui lui était insupportable.

— Désolée, vous lui ressemblez beaucoup, physiquement en tout cas, ajouta-t-elle en reprenant du poil de la bête.

— Excusez ma franchise, mais pourquoi au juste m'avez-vous donné rendez-vous ici ? demanda-t-il, incapable de dissimuler son anxiété.

Ana Stein redressa la tête, puis elle dit :

— Après vous avoir rencontré, je ne sais plus rien.

Il décida de rester une nuit de plus à Ottawa, au cas où elle tiendrait parole, *je vous téléphonerai ce soir, il me faudra beaucoup de courage pour parler de votre père,* avait-elle dit avant de quitter le Coffin's Nail.

Il sortit un paquet de cartes plastifiées acheté dans un Dollarama boulevard Saint-Laurent et, en attendant l'appel de la jeune femme, il s'adonna à des jeux de patience. La nuit tomba, mais le téléphone demeura muet. En vain, il chercha Stein, Ana dans l'annuaire téléphonique de sa chambre. Il alluma la télé, le flot d'images — les unes plus vulgaires que les autres — finit par l'anesthésier et il piqua du nez.

La sonnerie du téléphone le réveilla d'un coup.

La voix claire et distincte d'Ana Stein traînait une douceur inattendue :

— Je pensais que vous seriez déjà parti, dit-elle.

Il regarda sa montre : sept heures du matin.

— J'ai passé la nuit à construire des châteaux de cartes, dit-il comme s'il se parlait à lui-même.

La voix se tut à l'autre bout du fil. Soudainement inquiet devant son silence, il avoua tout de go :

— J'ai attendu votre appel hier soir.

— Je suis rentrée à minuit. Je n'ai pas voulu vous réveiller, se justifia-t-elle.

Trop ému par cet appel qu'il avait ardemment souhaité, Gabriel sentit qu'il n'était plus capable de mesurer ses propos.

— J'imagine que vous aviez rendez-vous avec le mort, lâcha-t-il, débordé par une émotivité qui l'étonnait lui-même.

Elle se tut de nouveau. Craignant qu'elle ne lui raccrochât au nez, il ajouta précipitamment :

— Excusez-moi, je suis un vrai mufle. J'ignore pourquoi, mais je crois que je tenais beaucoup à votre appel, Ana.

Il se rendit compte qu'il avait prononcé son nom avec l'hésitation de quelqu'un qui s'aventure sur un terrain dont il ignore tout.

— Que voulez-vous de moi, au juste ? demanda-t-elle.

La voix de la jeune femme lui parut tout à coup inquiète.

— Je veux vous revoir, dit-il sur un ton doux.

— Pourquoi, moi ?

— Vous m'aviez promis de me parler de mon père, n'est-ce pas ?

— Je ne vous ai rien promis, trancha-t-elle sèchement.

— Vous ne voulez plus en parler ?

Elle garda le silence pendant quelques secondes, puis elle dit :

— C'était une erreur.

— Qu'est-ce qui vous fait dire ça ?

— Je pensais que vous étiez venu ici parce que vous l'aimiez.

Soudain, une sensation d'étouffement gagna la poitrine de Gabriel. Il fallait qu'il dise quelque chose pour ne pas crever. C'était comme lorsqu'il était enfant et que la respiration lui manquait devant la figure écrasante de son père. Ce père dont il gardait un souvenir douloureux avant qu'il ne disparaisse de l'univers familial.

— Pour ne rien vous cacher, j'éprouve sa mort comme un nouvel abandon, bredouilla-t-il.

Elle garda le silence encore une fois. Puis elle reprit la parole, mais Gabriel sentait bien qu'elle devait se forcer.

— Ce n'est pas de sa faute s'il est mort, dit-elle d'une voix brusquement cassée par l'émotion.

— Vous aussi, d'une certaine façon, il vous a laissée tomber, Ana.

— Il m'avait déjà quittée avant de mourir, avoua-t-elle au bord du sanglot.

— Ana, comment faites-vous pour aimer quelqu'un qui vous a lâchée?

Encore un silence et Gabriel pria pour qu'elle ne se désengageât pas d'un dialogue qui semblait échapper à leur contrôle.

Alors, contre toute attente, il sentit que quelque chose en elle lâchait prise. Était-ce cette crispation de maîtresse dépitée qui l'empêchait de regarder en arrière sans colère?

— Mon amour excède ce geste qu'il a posé, forcé en partie par les circonstances, reprit-elle sur le ton de quelqu'un qui le fait à son corps défendant.

— Désolé, Ana, tout le monde sait qu'il était un coureur de jupons.

Elle ne dit rien. Il s'en mordit les lèvres de nouveau, persuadé que la communication serait coupée d'un moment à l'autre. Mais voilà qu'à sa grande surprise elle proposa:

— Il y a un troquet au marché By où le café a le goût du lointain. J'y serai dans une heure.

À l'angle des avenues King Edward et Rideau, il assista au lent défilé des gros camions dont les silhouettes à la Jurassic Park se perdaient sur les ponts menant au Québec. Il laissa passer un dernier mammouth de ferraille puant l'huile lourde avant de traverser l'avenue. Cette fois-ci, il ne se dépêchait pas pour rencontrer celle qui était censée lui dévoiler les circonstances ayant entouré la mort de son père. Pourquoi ne l'avait-elle pas d'ailleurs fait tout de suite? À quoi rimaient toutes ces temporisations? Ne voulant pas poireauter comme lors de leur premier rendez-vous au Coffin's Nail, il prémédita un retard de dix minutes au moins. Si elle lui posait un lapin, il ferait demi-tour et tout s'arrêterait là. Sur son chemin, il vit des fenêtres éventrées, des voitures dépecées dans des cours minuscules privées de lumière. Une femme en haillons enfonçait son nez dans un tas de poubelles. Tout en se redressant, elle jeta un regard hagard sur lui, juste au moment où il passait à ses côtés. Cette femme-là incarnait à elle seule tous les stéréotypes que la presse de gauche sud-américaine véhiculait sur les États-Unis : Amérindienne, âgée, alcoolique, le triple A de l'exclusion américaine, réfléchit-il en silence. Dès qu'elle eut avancé sa main droite, il pressa le pas pour ne pas tomber sous ses « ongles ». *That's another nail in her coffin*, dit-on en anglais pour montrer du doigt ceux qui ont la mort à leurs trousses. Il s'engagea dans la zone, mi-figue, mi-raisin, précédant l'accès au marché. Au coin d'une rue lépreuse, des jeunes multiethniques exhibaient leurs fesses louées à l'heure. C'étaient les putes du Marché By. Parmi elles, il y en avait une, grande, mulâtre et lippue, qui promenait un derrière digne de Sodome sur le parvis d'un temple mormon.

Il n'eut pas besoin d'entrer dans le troquet pour voir le profil de monnaie frappée à l'ancienne d'Ana Stein. Le front haut et le regard au loin, elle ne semblait attendre personne. Voltaire, le café français choisi pour cette deuxième rencontre, était plein comme un œuf. Décidément, voulait-elle oui ou non parler en toute tranquillité de feu le Consul ? De petites tables rondes découvraient le visage émacié de l'auteur du *Candide* sur l'abat-jour de leurs lampes. Des journaux, des revues et des livres sur une bibliothèque mur à mur complétaient le décor. D'un geste nerveux et décidé à la fois, il griffonna un mot qu'il remit discrètement au garçon du café avant de regagner son poste de guet :

Ana, pourquoi le lointain doit-il être bruyant ?

Le regard fébrile, il essaya de comprendre la nature de son geste. Tel un braconnier à l'affût, il éprouvait le besoin de faire corps avec le temps d'Ana Stein. Le besoin étrange de la voir là, dans ce café, à n'attendre que lui. Autrement, il sentait qu'il serait incapable d'en franchir le seuil. Au bout d'un quart d'heure, il fut témoin du départ de la jeune femme. Quinze minutes, pas une de plus, pas une de moins, voilà ce qu'il valait pour elle.

Montréal, vue de loin, accrochait le regard mais, au fur et à mesure que Gabriel l'approchait, ses charmes s'estompaient. On aurait dit une de ces cocottes que la proximité révélait dans toute sa déchéance. En toute bonne foi, il se demanda s'il ne fallait pas la contempler à distance. Pour être un bon immigrant, il eût fallu qu'il se déprenne de Buenos Aires. Mais en serait-il capable? Tout comme Sisyphe avec son satané rocher, Gabriel portait, où qu'il aille, sa ville natale sur ses épaules. Alors, pourquoi demeurer ici? Il ne devait rien à Montréal et Montréal ne lui devait rien non plus. Somme toute, ils étaient quittes. Aucun crime ne figurant encore sur sa feuille de route, il pouvait partir quand il voudrait. Ni casier judiciaire ni photo dans les pages jaunes des journaux. Une prise de bec à peine avec un pirate français qui servait du café en arrosoir au pied de l'oratoire Saint-Joseph. Rien de bien grave, tout ça. Restait Ana Stein, son beau visage, la force de ce visage quand il braquait sur lui les yeux de la mélancolie. Si seulement il avait pu le chasser d'un revers de la main sans se retourner. Mais Ana Stein débordait ses capacités de manœuvre. N'étant pas outillé pour la comprendre, et encore moins pour l'affronter, il se contentait de l'aimer comme on aime une vague qui nous submerge. À présent, il s'interrogeait à savoir si ce n'était pas la peur qui l'avait empêché de franchir la porte du troquet où Ana

Stein l'attendait, coulée dans son profil de médaille à l'ancienne. Peut-être songeait-elle maintenant qu'il n'était qu'un lâche. Aussi n'ignorait-elle pas que, en lui faisant parvenir ce message bizarre avec la complicité du garçon du café, il avait par la même occasion révélé un aspect puéril de sa personnalité. Comme un enfant qui cherche à être grondé pour se faire pardonner, il ne comprenait pas qu'Ana Stein n'était mère que de sa propre colère. Pourquoi cette femme l'intimidait-elle et l'attirait-elle autant ? Il comptait en parler à Vidalina. Elle devait connaître une ancienne potion indigène capable d'exorciser toutes ces peurs du passé qui refaisaient surface sans crier gare. C'est ça qu'il aurait voulu faire, mais il n'en souffla pas mot.

Il préféra sonner à la porte afin de ne pas *surprendre son amphytrionne dans les bras des premières ombres de la nuit.* Sa petite phrase méchante le fit rigoler sur le coup. Selon lui, la Guatémaltèque ne pouvait aspirer qu'à trouver un cliché sur son chemin. Sans trop savoir pourquoi, il sentait que Vidalina faisait partie de ce genre de femmes qui ne réveillent jamais de passion chez les hommes. Puis son excès de générosité la privait du brin de cruauté qui rend attrayant le regard d'une femme. Comme personne ne vint ouvrir, il sortit la clé de sa poche.

— Vidalina ?

Sa voix se perdit dans le couloir. Cependant, elle ne devait pas être bien loin, car des odeurs riches en toutes sortes d'essences trahissaient sa présence dans la maison. Elle aimait préparer ses repas dans une pénombre imprégnée d'épices. Associé à la saveur des aliments, le foyer de l'immigrée dégageait une foule de parfums exotiques.

— Vous ne m'avez pas entendu ? Étiez-vous ailleurs ? s'informa-t-il d'une voix enjouée.

— Vous savez que je suis toujours à ma place, rétorqua-t-elle avec l'assurance de quelqu'un qui ne doute pas une seconde de la logique de ses phrases.

Sans le consulter, elle se détacha de ses casseroles en cuivre pour lui servir du café. Vidalina en buvait à longueur de journée dans l'espoir sans doute de ne pas perdre le goût de sa terre âpre et violente. Un châle d'alpaga couvrait ses épaules.

Le voyage l'ayant assoupi, il accepta avec plaisir.

— Moi, pour savoir où est ma place, il faudrait d'abord que je la trouve, dit-il comme pour s'excuser d'être dans une maison qui n'était pas la sienne.

— Là où l'on peut s'asseoir, voilà notre place.

Elle parlait lentement, sans effort, avec plaisir, tout en ouvrant des pots remplis d'arômes. Son nez aquilin goûtait un à un tous ces parfums que recelait sa cuisine. Comme des allumettes, ses doigts brûlaient les essences avant de les distribuer généreusement ici et là. Il observa ces mains qui connaissaient par cœur les différentes saveurs des saisons. Il imagina aisément ce que serait la vie avec elle : un apprentissage à petit feu de la manière de vivre les deux pieds sur terre, de la joie de s'enraciner dans une cuisine ouverte à l'appétit de tous les manants qui croisaient son chemin.

— Je ne suis pas né pour demeurer assis. Il faut que je bouge, même si je n'arrive nulle part.

— C'est pourtant tellement simple, il suffit de placer son cul sur un bout de bois à quinze pouces du sol, dit-elle en reprenant calmement son siège à côté de la fenêtre.

Il sourit, content de retrouver le café de Vidalina, sa voix aussi, sereine, au delà de toute frivolité. Voilà une femme qu'on ne verra jamais à la télé, pensa-t-il tout à coup touché par la spontanéité et l'intensité dont faisaient preuve ses paroles.

— J'ai parcouru deux cents kilomètres assis pour aller à Ottawa. J'y ai rencontré deux femmes qui ont été les maîtresses de mon père, raconta-t-il.

— Moi, si j'avais fait comme vous après la mort de mon père, qui aimait probablement les femmes autant que le vôtre, ma vie aurait été un *road movie*.

L'ironie avec laquelle elle s'efforça de dédramatiser son récit le fit sourire. Puis il reprit la parole avec l'espoir d'exorciser l'image d'Ana Stein qui l'obsédait :

— L'une était blonde, et l'autre, brune. La première riait et la deuxième pleurait, se confia-t-il sans pouvoir occulter tout à fait son émoi.

— Ce n'était pas la peine de faire le voyage pour apprendre que les hommes laissent un cirque derrière eux quand ils meurent, trancha-t-elle.

— Je ne vois que des clowns depuis mon arrivée, Vidalina.

— Vous pensez à moi en disant ça ? demanda-t-elle avec l'air de se payer sa tête.

— Vous n'êtes pas d'ici.

— On ne peut être que dans un seul endroit à la fois. On appartient au lieu qu'on habite. Dieu, dans sa miséricorde infinie, nous a pourvus d'un seul cul.

Le mot *culo* — le mot le plus grave de la langue espagnole —, prononcé deux fois, résonnait avec une certaine solennité dans la bouche de l'immigrée.

— Je ne peux pas être dans un seul endroit. Je vous parle et je suis encore avec elle.

— Avec qui ?

— Avec la brune, Ana. Ana Stein.

Vidalina fronça les sourcils.

— Il vous faudra choisir, Gabriel, ici ou là-bas. Dieu seul peut occuper deux places à la fois.

Un matin, il se réveilla avec le sentiment de ne pas avoir vidé les ordures depuis longtemps. En y réfléchissant bien, il se dit que ce n'était pas lui qui devait sortir la poubelle chez Vidalina, mais plutôt la poubelle qui devait le sortir. Évidemment, avec des pensées comme ça, il n'irait pas très loin. Jamais le cafard n'avait été plus fort que ce matin-là où il sentait que sa vie n'était qu'un dépotoir. Accumulée, l'ordure bouchait tout, y compris le morceau de lit dont il avait besoin pour reposer sa tête. Vivre, c'est s'entourer de détritus, mais pourquoi les collectionner, alors que d'autres s'en débarrassaient allègrement à n'importe quel coin de rue ? *Ma vie pour une allumette*, ricana-t-il en silence. Mettre le feu à ses propres ordures, voilà probablement le seul projet digne d'être entrepris. Se transformer, pour ainsi dire, en pyromane de soi-même. Après avoir rencontré Ana, il se demandait s'il pouvait y avoir quelque chose de plus beau que son visage contemplé depuis un dépotoir. Un visage — ce visage-là — fait irruption et l'ordure se met à trembler. Il alla jusqu'à imaginer une vie sans l'air nauséabond des dépouilles d'un père encombrant sa mémoire.

L'inspecteur Da Silva lui donna rendez-vous à son bureau de la GRC pour le prévenir de ne pas se mêler de ce qui ne le regardait pas. En le retrouvant, il remarqua que le limier avait perdu encore davantage de cheveux depuis leur première rencontre ; aussi était-il vrai que le vent avait soufflé fort ces derniers jours à Montréal. Gabriel avait beau essayer de faire de l'humour dans sa tête, tous ces bureaux truffés de flics avec leurs armes de service et l'écusson de la maison bien en vue l'intimidaient toujours.

Le détective l'apostropha d'emblée :

— Pourquoi êtes-vous allé à Ottawa ? s'informa-t-il d'un ton bourru.

— Sans vouloir vous manquer de respect, monsieur Da Silva, je voulais savoir pourquoi la reine Victoria, alors qu'elle aurait pu choisir entre Toronto et Montréal, a préféré un village comme capitale fédérale, répondit-il en souriant.

— Je me demande si vos connaissances historiques vous seront utiles au moment de vous présenter devant un juge pour obstruction à la justice, monsieur Olmos.

— Excusez-moi, mais je n'aime pas qu'on me parle comme si j'avais dix ans, reprit-il sur un ton agressif.

— Pourquoi ne me racontez-vous pas ce que vous savez sur votre père au lieu de prendre des initiatives malheureuses ?

La voix du flic s'était radoucie. Cherchait-il à l'amadouer ? Après tout, quel intérêt aurait-il eu à le dresser contre lui ?

La tête basse, Gabriel réfléchit en silence.

— Peut-on savoir ce que vous cherchez exactement ? insista le flic.

— Pour être honnête avec vous, je n'en sais trop rien.

— Comptez-vous interroger toutes les blondes qui ont couché avec votre père ? demanda Da Silva, le regard moqueur.

— C'est elle qui vous en a parlé ?

— Elle ? Qui elle ?

— Vous savez bien, Claudine Donnadieu-Frost, la dernière maîtresse de mon père.

— Je n'ai pas l'habitude de révéler l'identité de mes informateurs. C'est peut-être le seul point où le curé et le flic communient ensemble, fit-il en jetant un regard narquois sur son interlocuteur.

Le caporal Da Silva, dans ses rares moments d'humour, avait une expression d'imbécillité parfaite. Pourtant, Gabriel se demanda si sa tête était aussi dégarnie à l'intérieur qu'à l'extérieur. La traductrice d'Ottawa devait croire à ses talents de limier, autrement elle n'aurait pas jugé opportun de le mettre au courant de sa visite chez elle.

En regagnant la rue, il songea à Choco, mais il ne se décidait toujours pas à lui passer un coup de fil même si elle avait toujours son cellulaire avec elle. Outre sa fringale pour le cacao, il craignait qu'elle ne traînât aussi quelques morpions à force de faire le pied de grue sur le trottoir. Pendant une bonne demi-heure, il marcha sans but précis. Les rues découvraient des déchets, des sans-abri et, de temps à autre, des visages de jeunes femmes dont le regard coquin lui montait à la tête comme un vin chaud.

Il prit l'habitude de flâner jusqu'à la tombée du jour. Il rentrait chez Vidalina fourbu mais secrètement heureux d'avoir un coin de cuisine dans lequel se désaltérer. *Désaltérer*, c'était là pour lui le mot le plus beau de la langue française. Ses études de français à Buenos Aires l'aidaient à mieux comprendre Montréal, à mieux sentir les plis dans lesquels cherchait refuge sa parole issue du tronc hexagonal foudroyé, oui, il se surprit en train d'intégrer la ville-greffe à l'aide de ce qui murmurait dans ses ruelles, un français de caniveau, un français de dégel, le plus élémentaire et le plus fort aussi, celui dont il avait sans doute besoin pour faire peau neuve, pour recommencer à zéro. *Mais peut-on recommencer à zéro quand la voix des morts accaparent nos oreilles ?* se demandait-il sans cesse. Alors qu'il voulait à tout prix se désaltérer dans Montréal, le passé l'empêchait d'exister à son compte. *Comment peut-on faire pour exister à son compte ?* demanda-t-il un soir à Vidalina tandis qu'elle débarrassait la table. Elle l'examina avec le regard neutre — au delà de l'épouvante — de certains rescapés. N'ayant rien dit, Gabriel eut le sentiment qu'elle rongeait son frein.

— Je trouve que Montréal vous va comme un gant, dit-il en cherchant à l'égayer.

— Qu'est-ce qui vous fait dire ça ? Vous venez à peine d'arriver. Connaître une ville comme Montréal, ça prend des yeux bien ouverts et beaucoup de patience.

La voix grave et douce de la Guatémaltèque animait les mots avec lenteur comme si rien ne pressait, comme si le temps était un élastique sur lequel on pouvait tirer autant qu'on le voulait.

— Je ne sais pas, je trouve qu'elle vous ressemble, c'est une ville qui accueille sans juger.

Elle sourit, mais il y avait dans son sourire quelque chose d'amer, ou d'ironique, difficile à dire.

Puis, sans crier gare, elle annonça :

— Une femme vous a téléphoné pendant que vous étiez absent.

— Qui ?

— Ana Stein.

Il y eut un silence pendant lequel Vidalina finit de débarrasser la table. Gabriel aurait voulu qu'elle le regardât pour savoir à quoi s'en tenir, mais elle lui tournait le dos.

— Pourquoi ne pas me l'avoir dit plus tôt ? demanda-t-il, mal à l'aise.

— J'ai failli ne pas vous le dire du tout, fit-elle le regard toujours fuyant.

— Pourquoi ?

— J'ai appris à lire dans la voix des gens. Voilà pourquoi je suis encore en vie.

La voix lente, un peu pâteuse, de l'immigrée rendait ses propos d'autant plus inquiétants. Du coup, Gabriel sentit que cette femme était un obstacle, une sorte de barrière qu'il lui faudrait franchir.

— Et qu'avez-vous lu dans la voix d'Ana Stein ? s'enquit-il sans pouvoir maîtriser son anxiété.

— Je ne dois pas me mêler de ce qui ne me regarde pas.

Décidément, Vidalina l'agaçait. On aurait dit qu'elle cherchait à le provoquer et puis, surtout, ce dos tourné qui barrait son regard d'habitude si compatissant...

— A-t-elle laissé un message pour moi ? l'interrogea-t-il avec brusquerie.

Elle se taisait, occupée à présent à ranger ses casseroles.

Excédé, il répéta sa question :

— A-t-elle laissé un message pour moi ?

Sa voix irritée, voire impolie, fit sursauter la maîtresse de maison.

Alors elle se retourna et le regarda droit dans les yeux.

— Samedi, elle vous attendra à vingt heures dans un restaurant du Vieux-Port. C'était ça, son message.

Le regard sévère, voire dur, de Vidalina adoucit la voix de Gabriel au point de la rendre presque inaudible.

— Le nom du restaurant ?

— Vous pensez vous y rendre ?

— Je ne sais pas... je verrai, bredouilla-t-il.

— Marie-Pitié m'avait révélé que vous aviez peur du sida.

— Je ne vois pas le rapport avec Ana Stein, murmura-t-il, incommodé par le regard de plus en plus désapprobateur de Vidalina.

Il y eut un nouveau silence, puis, une dernière fois, sa parole rugueuse de paysanne avec les deux pieds sur terre se fit entendre :

— La mort, Gabriel, ne frappe pas toujours à nos portes avec un virus au bout des doigts.

5

Juan Carlos, je parlerai à Gabriel de notre dernier rendez-vous au bord du lac cet après-midi-là. Habillée de plomb de la tête aux pieds, je lui raconterai mon attente fébrile en haut des montagnes où tu passais tes fins de semaine l'été. Je lui dirai que ma mémoire tout entière y reste accrochée. Dans ma tête, tous les jours, la même scène se répète inlassablement, de plus en plus claire. Qui dit qu'avec le temps tout s'en va ? Brel ? Bien sûr, ça ne peut être qu'une chanson.

Te voyant si petit, là-bas, sur le sable, j'ai failli rebrousser chemin, Juan Carlos. Ça aussi — ma faiblesse —, je voudrais que ton fils l'entende. Lui qui me croit dure comme pierre, je lui raconterai comment je me suis effondrée et comment j'ai pleuré toutes les larmes de mon corps avant de me reprendre. Je ne devais surtout pas céder à la tendresse au moment, Juan Carlos, où j'allais te toucher pour de bon. Pour que ton fils me comprenne, et que le malentendu soit enfin levé, je lui prêterai mes yeux trempés de sang. Il te verra enfin, chancelant, heurter la balustrade avant de te précipiter dans le vide. Il comprendra que le gris — mort ou vif —, c'est notre seule lumière à présent. Je lui dirai : *Écoute, Gabriel, l'écho des balles circulant dans mes veines. Viens donc et penche-toi avec moi sur le précipice que ton père nous a laissé le jour où mon cœur en gris lui a réglé son compte.* Ça aussi, il l'écoutera de mes lèvres. Et ceci encore : *J'ai tué ton père de trois balles dans le dos, c'est lui qui est tombé, mais c'est moi qui saigne. Auras-tu le courage de coller ta bouche à la mienne pour mettre un terme à cette hémorragie qui ne cesse pas ?*

Tout ça, je voulais le dire à Gabriel mais, face à ses yeux d'enfant ayant grandi sans père, je me suis tue. Il m'a regardée comme s'il n'avait plus personne sur qui compter. Là, j'ai compris que, pour lui faire mes aveux, il aurait fallu une autre langue que la mienne. Comment les mots de tous les jours pourraient-ils représenter ce geste qui tourne le dos à la raison ? J'avais beau les chercher, ces mots, plus je les cherchais, plus je sentais que je n'avais jamais cessé de t'aimer. Mais comment ton fils aurait-il pu croire à ce que je lui avouais ? J'ai encore une fois échoué dans ma tentative d'être Ana tout court. Rien qu'Ana, une femme amoureuse. L'amour (ça, tu le sais mieux que moi, Juan Carlos) n'est qu'excès et déraillement. Les deux vont ensemble, la main dans la main. Soudain, en levant le visage au restaurant, je t'ai revu avec vingt ans de moins. C'était comme si la mort, au lieu de te décomposer, avait rendu à tes traits leurs premières lueurs. Il a fallu que je me retienne pour ne pas te prendre dans mes bras. Je suis restée assise, et j'ai dîné avec un fantasme qui était ton fils. Comment donc lui dire que je t'avais tué puisque *tu étais* à sa place ? Comment lui expliquer que c'était plutôt lui qui n'existait plus ?

Bien sûr, tu dois te répéter que je n'ai plus toute ma tête, qu'on ferait mieux de m'enfermer, mais tu sais, toi le premier, que l'amour se moque de la raison. Et voilà que ton souvenir, au lieu de décliner, s'intensifie au fil des jours. Étant partout et nulle part à la fois, ton regard me met à l'abri de moi-même. Voilà que je t'appartiens corps et âme, plus que jamais. Au moment de tirer sur toi, je t'ai confié ma vie. Trois fois. Tu es et la victime et le dépositaire de mon acte. Tu sais que je ne me suis pas cachée pour appuyer sur la détente. Je t'ai regardé depuis le hall d'entrée, puis j'ai déchargé trois fois mon amour sur toi. Les portes du chalet étaient grandes ouvertes pour engloutir à tout jamais tes infidélités, et ce guet de chasseur dans lequel je t'imaginais quand tu rentrais à Montréal. Je t'ai attendu pour te regarder droit dans les yeux avant de tirer sur toi, mais tu as préféré me tourner le dos.

Tous ces baisers que ton abandon a transformés en coups de feu me reviennent comme un boomerang à l'heure actuelle. Ces balles que j'aurais voulu signer une à une de mon sang sont la plus grande preuve de mon amour pour toi, Juan Carlos. Cynique, tu dis? Moi, cynique? Savais-tu que ce mot veut dire «chien» en latin? Soit, trois fois chienne donc, en attendant de te rejoindre là où gît la rage éternelle.

Pendant ce temps-là, ton fils fait des courbettes, comme si le monde n'avait pas changé depuis que tu t'es écroulé sur le sol. Ma rencontre avec lui à Montréal, là où tu m'avais emmenée la première fois, ne pouvait être plus incongrue. Naïf, trois fois naïf. Il a pris ma main avant de s'asseoir à la table du restaurant, se penchant pour l'embrasser. La gorge serrée, je n'ai pas pu m'empêcher d'éclater en sanglots.

— Pourquoi pleurez-vous, Ana? a-t-il demandé, pris au dépourvu par ma faiblesse soudaine.

— Excusez-moi, je ne sais pas ce qui m'arrive, ai-je bredouillé tout en me reprenant du mieux que j'ai pu.

— Vous n'avez pas à vous en excuser, Ana, il n'y a que les morts qui ne pleurent pas, a-t-il dit d'une voix qui cherchait à m'encourager.

Le *bed-and-breakfast* où je devais passer la nuit était dans une rue en pente du ghetto McGill. J'avais trop bu et mon pas devenait hésitant.

— J'aime les chutes, pourvu qu'elles se produisent en montant, ai-je murmuré en m'appuyant sur le bras de ton fils.

— Ça ne doit pas être gai l'hiver dans ces parages, a-t-il grommelé à son tour entre ses dents.

Un vent glacial fouettait nos visages. On est montés à pas de tortue. Pendant qu'on grimpait, ton regard, Juan Carlos, refaisait surface. Oui, les yeux exorbités de ton visage tels que je les ai vus le jour de notre dernière rencontre. Ils avaient le poids d'une carapace de tortue géante, ces yeux-là, Juan Carlos. Du coup, j'ai compris pourquoi les Anciens voyaient dans la tortue la représentation du mal. Tant que ton fils serait à mes côtés, je n'aurais pas à choisir entre les deux bêtes qui s'agitaient en moi. La folle et la sage restaient ensemble sous un même chapiteau. Pendant un moment, j'ai pensé que tu l'avais mis sur ma route pour que je ne trébuche pas contre moi-même. Mes jambes avaient du mal à me tenir debout. Tout était gelé, on avait l'impression de marcher sur une patinoire et le vent soufflait de plus en plus fort dans mes oreilles.

Enfin, on a atteint le perron du *bed-and-breakfast*. Une fois dans le vestibule, j'ai voulu le congédier au pied de l'escalier qui conduisait à la chambre, mais il m'a serrée très fort dans ses bras, et j'ai été obligée de lui présenter mes condoléances en l'embrassant sur les lèvres.

De retour à Ottawa, sept jours se sont écoulés sans que je mette le nez dehors. J'attendais un signe de toi, une sentence finale, irrévocable. Ça ou le pardon, qui est toujours un miracle. Ton métier t'avait appris que les apparences, à force de maquiller la réalité, finissent par la remplacer. Alors, pourquoi n'aurais-tu pas décroché le téléphone pour dire : *Ne t'en fais pas, Ana, ma mort a été aussi fausse que ma vie de diplomate.* J'aurais pu croire à un cauchemar, mais la nausée que j'éprouvais était trop forte pour que je m'en tire à si bon compte. C'était ton silence qui me pesait le plus. Toute une semaine sans entendre ta voix. N'en pouvant plus, je venais d'ouvrir le robinet du gaz lorsque le téléphone a sonné dans ma chambre. Je n'ai pas répondu, mais la voix de ton fils a filtré à travers les haut-parleurs du répondeur automatique :

— Ana, pourquoi le silence doit-il répondre à l'amour ?

Voilà ce qu'il a demandé, et je n'ai pu m'empêcher de prendre le combiné.

— Amour, tu appelles ça amour ? Tu as profité du fait que j'étais soûle pour me prendre dans tes bras ! me suis-je exclamée en lui raccrochant au nez.

La colère me réveillant d'un coup, j'ai refermé la clé du gaz. J'étais trop enragée contre moi-même pour mourir. La mort de soi, son exécution, réclame une énergie qui me faisait défaut. Je ne m'aimais pas assez pour me tuer. On se suicide toujours par narcissisme, Juan Carlos.

Incapable de reprendre mes esprits, je suis revenue à Montréal. Il fallait que je parle à ton fils. Ma visite impromptue n'a pas eu l'air de le surprendre outre mesure. Il portait un jean délavé, comme d'habitude, et un de ces débardeurs en cuir usé qu'on peut acheter pour cinq dollars au Chaînon, boulevard Saint-Laurent. Il sentait le chaînon d'ailleurs, comme les taulards. On voit bien que ton fils n'aime pas trop l'eau. Pas rasé du tout, les traits tirés, il avait l'air de quelqu'un qui passe ses vacances à Guantanamo aux frais de l'administration Bush. Il puait l'ail par-dessus le marché, et aussi, il faut bien le dire, un peu l'alcool. Était-ce sa façon de me punir pour mon silence ?

— Est-ce que vous cherchez quelqu'un ? a-t-il demandé d'une voix goguenarde, faisant semblant de ne pas me reconnaître.

— Toi, Gabriel.

Alors, il s'est retourné et a regardé en arrière comme si je m'adressais à quelqu'un d'autre.

Le couloir, long et sombre, était vide.

Prenant mon courage à deux mains, j'ai dit :

— Excuse-moi si j'ai été trop brutale au téléphone.

— Vous n'avez pas à vous excuser. On dit ce qu'on a dans le ventre, c'est tout.

Il parlait lentement. Son regard haut perché avait une tristesse qui me mettait mal à l'aise.

— Vous n'auriez pas dû rester l'autre soir, au *bed-and-breakfast*.

— Il faisait trop froid dehors, voilà tout.

J'ai souri malgré moi, puis j'ai laissé mon regard posé sur lui sans rien dire.

Quelques secondes se sont écoulées pendant lesquelles j'ai cru qu'il allait me claquer la porte au nez. Mais, fixant le ciel d'un bleu étincelant, il a fini par dire d'une voix vidée de tout sentiment :

— Je crois qu'il va pleuvoir.

Il a ensuite ajouté :

— Quand j'étais gamin, la pluie était mon obsession. L'appartement de mes parents était trop petit et il me fallait jouer dehors.

C'était la première fois que je le voyais complètement enfermé dans sa bulle. Alors, pour une fois, je me suis intéressée à lui :

— Vous ne donnez pas l'impression de quelqu'un qui ait eu beaucoup de jouets dans sa vie.

— C'est pour ça que j'en prends soin, a-t-il dit en m'examinant de la tête aux pieds.

Ses yeux brillaient tout à coup. L'intensité de son regard a failli m'ébranler.

— Pourquoi n'allons-nous pas nous asseoir dans ma voiture? ai-je proposé d'un ton volontairement frivole dans l'espoir de détendre l'atmosphère.

Quand ma télécommande a débloqué les portières de la Golf GTI garée au bord du trottoir, il n'en croyait pas ses yeux. Il est resté bouche bée, comme la plupart des hommes que les grises métallisées font bander. C'est vrai qu'elle avait de la gueule avec son becquet arrière sportif et ses pneus surdimensionnés. Puis j'y mettais toutes mes économies, même si c'était toi, Juan Carlos, qui m'avais aidée à en faire l'acquisition. Comment expliquer à Gabriel que j'avais toujours aimé la vitesse, alors que lui ne faisait que se précipiter dans la lenteur?

Puis, je l'ai invité à monter à bord.

Il a hésité quelques secondes avant d'accepter.

— C'est à vous, cette voiture?

— J'en ai bien les clés, non?

— C'est drôle, mais je vous imaginais dans un autre type de véhicule.

— Un petit tacot poussif tout cabossé avec des marques évidentes de maladresses de conduite féminine?

— Non, juste une voiture ordinaire, sans plus, a-t-il rétorqué.

— Tu sembles déçu, je croyais que les hommes les préféraient grises. Je parle des voitures, bien entendu.

Il a souri à peine, puis il a demandé:

— Pourquoi est-ce que vous roulez dans une voiture comme ça? Ça doit vous coûter les yeux de la tête, rien que pour les assurances, n'est-ce pas?

Il était manifestement désarçonné par ce côté superficiel de ma personnalité qu'il ignorait.

Me rappelant la légende d'une publicité que j'avais lue dans un magazine automobile à Ottawa avant de prendre la route, j'ai récité par cœur :

— *Because this is an irresistible blend of pure excitement and sophisticated technology.*

J'ai contemplé le profil de ton fils, assis sur le siège avant tout près de moi, et, encore une fois, j'ai eu l'impression de te revoir avec vingt ans de moins.

— Comment peux-tu vivre dans un endroit aussi moche ? ai-je interrogé à mon tour en jetant un coup d'œil sur la façade du triplex où il habitait.

— On voit bien que vous aimez le luxe et le confort bourgeois. Outremont n'est pas loin, vous n'avez qu'à traverser l'avenue du Parc au volant de votre GTI. Le Mile-End est bien trop humble pour le gris métallisé qui drape vos fesses, madame.

Sa voix était redevenue rauque et goguenarde. Une voix de métèque et de fumeur, après tout.

— Pourquoi tu me vouvoies maintenant ?

— Qu'est-ce qui vous fait croire que je vous ai tutoyée dans le passé ? a-t-il demandé avec l'air de se foutre carrément de ma gueule.

Ma réponse ne pouvait être que cinglante :

— On dirait que tu n'as le courage de me tutoyer que quand je suis soûle.

Alors, sans y réfléchir à deux fois, il a passé son bras autour de mon épaule et m'a embrassée sur la bouche.

Je n'avais pas envie de lui, c'était son projet qui comptait. Le projet fou de me donner son désir. Difficile à expliquer ; d'ailleurs, je devrais me taire. Tant pis, je te dois au moins ça.

Après notre réconciliation devant le triplex de la femme qui l'hébergeait à l'œil, il a insisté pour que j'abandonne complètement mon corps entre ses mains. *Tant que ça se passera ici, dans un de ces quartiers peuplés d'immigrants, je ferai semblant de ne pas m'en apercevoir*, l'ai-je prévenu. *Mais ne t'avise pas de venir me chercher là où j'habite.*

Loin d'écouter mon avertissement, il s'est empressé de le transgresser. Un samedi, en fin d'après-midi, quelqu'un a frappé à ma porte. C'était lui, les cheveux ébouriffés, une cigarette entre les doigts et l'haleine pétrie de mauvais alcool. Il avait l'air d'un de ces sans-abri contre lesquels tu pestais quand ils s'avisaient de te couper le chemin à un coin de rue.

— Qu'est-ce que tu fais là ?

Le ton brusque de mon accueil a fait en sorte qu'il se braque :

— J'en ai par-dessus la tête de me retrouver avec toi dans des chambres d'hôtel où tu ne déshabilles que ton corps. Je veux te voir entre tes quatre murs, Ana, sans masque, a-t-il dit.

— Qu'est-ce que tu veux que je te donne de plus ? me suis-je exclamée, hors de mes gonds et prête à lui claquer la porte au nez.

— Tu ne me donnes rien, Ana, tu gardes tout pour toi, y compris ce que mon père a laissé en partant.

Faisait-il allusion à la voiture ? Ou avait-il appris autre chose ? Ces mots et le ton grave qui les accompagnait m'ont clouée sur place.

Alors j'ai bredouillé :

— Je ne comprends pas ce que tu veux dire.

— Laisse-moi entrer chez toi et je t'expliquerai, Ana.

Une fois entré, il se mit à scruter chaque coin de l'appartement. Il a fini par s'asseoir dans ton fauteuil préféré et, peux-tu le croire, Juan Carlos ? je n'ai rien fait pour l'en empêcher.

J'étouffais, l'air devenait irrespirable. J'avais beau essayer de me ressaisir…

— Parle, je t'écoute, ai-je fini par dire.

— Tu n'offres rien à boire à ceux qui viennent de loin ? a-t-il demandé comme si mon temps lui appartenait.

— Je n'ai rien à t'offrir. De l'eau du robinet, si tu veux, ai-je répondu d'une voix expéditive.

Il m'a regardée avec les yeux égarés de quelqu'un qui n'arrive plus à trouver le sommeil. Puis il a dit cette phrase pétrie, elle aussi, de mauvais alcool que je n'oublierai jamais :

— Ouvre-moi ton lit, Ana, pour que j'y abreuve ma soif de vengeance.

J'ai senti que j'allais m'évanouir. Était-il donc au courant ?

— À quoi tu joues ? Qu'est-ce que tu dis là ?

J'aurais voulu crier, mais je n'en avais plus la force.

— La mort de mon père t'a trop marquée, Ana. C'est un poids dont il faut que tu te débarrasses. Laisse-moi t'aider à tuer le mort, sinon c'est nous qui trinquons.

C'était donc ça ? Une pure affaire de jalousie ? Comment pouvait-il être jaloux d'un cadavre ? Ou était-ce du théâtre ? Une manière détournée de me faire comprendre qu'il n'était pas dupe de mes agissements ?

Il m'a fixée longuement avec ce regard exténué qui me faisait mal au cœur. Je me sentais à bout de souffle. Puis une trêve inattendue, absurde, s'est frayé un chemin dans mon corps, et j'ai eu envie de caresser ses cheveux, d'embrasser son front, mais je suis restée immobile. Le sursis serait peut-être plus long que je ne le pensais.

Juan Carlos, je sais, ça ne va pas, je traîne au lieu de me faire sauter la cervelle comme je te l'avais promis. Tu dois brûler d'impatience de me voir arriver avec le crâne perforé telle une de ces momies incas trépanées qui t'avaient beaucoup impressionné lors de ton séjour au Pérou.

Pardonne-moi, je ne sais plus ce que je raconte. La visite intempestive de Gabriel a tout mis sens dessus dessous. Maintenant qu'il est parti, il faut que je m'interroge sur le sens de ses mots. Remarque, il n'est peut-être qu'un beau parleur, ses propos — mélodramatiques, irréfléchis — n'ont aucune importance, que du vent, une coquille vide, Juan Carlos. Comme tous les autres qui ont cherché à me séduire, il se cassera la figure. Personne ne pourra m'éloigner de toi. Oui, tu as raison, j'ai failli tomber dans le panneau, c'est qu'il avait l'air si désemparé, ton fils. Mets-toi à ma place. Tu ne peux pas le faire? Non, bien sûr, je suis folle, tu dis, à force de me le répéter, je vais sans doute finir par l'accepter. Ta voix dans ma tête comme une goutte d'eau qui creuse la pierre qui sommeille en moi. En épousant corps et âme les mots de l'homme que j'aime, je me défausse par la même occasion de l'as de la raison, vois-tu? Si, au lieu d'abréger de plus en plus nos rencontres, tu m'avais laissée te donner ce que les autres femmes ne pouvaient que simuler, tout serait différent aujourd'hui. Quand tu me disais que c'était ta mélancolie que tu trompais plutôt que moi, je ne te croyais pas. Pourtant, je me demande si c'est ton infidélité ou ta mélancolie que j'ai tuée. Ce dernier après-midi d'été où je t'ai attendu avec un revolver à la main, il n'y avait pas de peur dans tes yeux. Ta tristesse y était si grande qu'elle engloutissait ma présence, l'arme et toutes les balles de ma jalousie. Pour me l'approprier à tout jamais, il m'a fallu appuyer sur la détente. Trois coups d'arrêt sur ton image, Juan Carlos Olmos.

Je ne sais plus quoi faire pour dessiller les yeux de ton fils. Chaque fois qu'on se donne rendez-vous dans un restaurant, je fais le nécessaire pour ruiner la soirée. Samedi dernier, pour ne t'en donner qu'un exemple, j'ai renversé mon verre de vin sur sa braguette. Oui, tu as bien entendu : sur sa braguette, Juan Carlos. Veux-tu savoir pourquoi ? Il voulait me faire croire que tu ne t'étais jamais occupé de lui. Voilà.

— C'est ça ta prémisse majeure concernant ton père ? ai-je demandé sur un ton sec.

— Tu as tout compris, Ana.

— « Les pères qui ne s'occupent jamais de leurs enfants sont mauvais. Juan Carlos Olmos ne s'est jamais occupé de moi, donc mon père est mauvais », ai-je récité d'une voix monotone.

— Ce syllogisme d'une logique irréprochable sied à mon père, en effet, a-t-il murmuré, le visage soudainement rembruni.

— Tu as donc pris l'avion pour venir ici cracher ta haine, Gabriel ?

— C'est une manière de voir les choses. Pourquoi ça te met en rogne, Ana ?

— Je ne sais pas. Moi, à ta place, j'aurais envoyé un courriel, un fax, ç'aurait suffi.

Je m'énervais, je sentais que je devais faire quelque chose pour lui marquer une désapprobation qui ne pouvait être que tapageuse et injurieuse tout à la fois. Alors, d'un revers de la main (tout s'est passé comme si j'avais giflé le verre), j'ai renversé mon vin sur sa braguette.

On était au P'tit Plateau, à l'angle de Marie-Anne et Drolet. Le confit de canard, payé par moi, du reste — de même que le vin —, venait à peine d'être entamé. Il a gardé son sang-froid. Rien dans son regard ne trahissait ni surprise ni colère.

Avec un flegme dont je le croyais dépourvu, il a dit :

— Notre désir est cruel, Ana, qui nous condamne à un triangle avec un angle mort.

Hier soir, dans un moment de détresse, je me suis confiée à ton fils, *sans toi, à l'heure qu'il est, je serais probablement déjà morte.* Ça me faisait drôle de dire cela à quelqu'un dont j'attendais l'estocade. Son air indifférent m'a permis de me raviser. Alors, j'ai sauté du coq à l'âne dans l'espoir de brouiller les cartes :

— L'hiver approche à grands pas, Gabriel. Souvent, le froid gèle les draps. Les gens qui habitent seuls n'ont personne pour les arracher du sommeil où ils sont.

Il est resté muet. Il avait cette tristesse loufoque qui lui emboîtait le pas dès que nous prenions le chemin du Vieux-Port à Montréal. Le peu d'importance qu'il accordait à mon témoignage de confiance m'ayant passablement découragée, je suis restée bouche cousue. Croyait-il que je blaguais quand je lui disais que, sans le savoir, il m'avait probablement sauvé la vie ? À bien y réfléchir, tant mieux s'il ne m'a pas prise au sérieux. Peut-être que la proximité du Saint-Laurent annulait en partie l'effet de mes mots. Il m'a emmenée au quai le plus lointain, là où l'on a l'impression de marcher sur l'eau. En écoutant la sirène d'un bateau, j'ai senti mon cœur se mettre à battre à tout rompre. Pour l'apaiser, j'ai encore une fois parlé de toi, Juan Carlos :

— Un dimanche, ton père m'a fait visiter le cimetière de bateaux qui est de l'autre côté du fleuve. On aurait dit des baleines échouées sur leur ventre.

— Tu sais que tu es devenue la chroniqueuse du regretté consul ? Penses-tu, Ana, avoir besoin d'un assistant pour faire l'inventaire de tous ses restes ?

— Il va bien falloir que tu te trouves un job, après tout, n'est-ce pas ?

Il a gardé le silence pendant un long moment, puis il a dit avec amertume :

— Les enfants sont tous des cannibales.

— Certains enfants sont plus cannibales que d'autres, ai-je réfléchi à haute voix, incapable de me tenir à l'écart du dialogue fait de séparations et de malentendus qui était le vôtre.

— Le père est un plat qui se mange froid, a-t-il conclu d'une voix éteinte qui ignorait son propre humour.

Je n'ai pas pu m'empêcher de le regarder avec une certaine pitié.

— Comment fais-tu pour vivre avec tout ce ressentiment sur tes épaules, Gabriel ?

À ma grande surprise, il m'a tout à coup serrée dans ses bras. Quelque chose en moi a cédé, et je me suis blottie contre sa poitrine. Pendant quelques instants — excuse-moi, Juan Carlos —, j'ai oublié que je vivais avec trois tirs sur le front.

Il veut (serait-il complètement malade ?) qu'on vive ensemble. J'ignore comment une idée semblable a pu se frayer un chemin dans sa tête. Il faut qu'il soit fêlé pour vouloir vivre avec moi. Je suis restée bouche bée. *Speachless*, comme disent les Anglos quand les événements dépassent leur entendement. Quelque chose qui, à en croire leur langue, a lieu fréquemment.

On était dans un hôtel de passe du quartier chinois, rue De La Gauchetière. Des visages fermés comme des impasses. Fermés comme des poings fermés. Rien à voir, payez, circulez. Est-ce pour les ouvrir, ces visages, que l'autoroute Ville-Marie balafre leurs commerces ethniques ?

Comment faire comprendre à ton fils que ce sont là les seuls endroits où il peut coucher avec moi, Juan Carlos ? En dehors, bien entendu, des stationnements souterrains de certains centres commerciaux qui provoquent chez lui des érections compulsives. C'est arrivé la dernière fois qu'il a accepté que je lui achète un jean Levi Strauss & Co. pour remplacer celui, usé jusqu'à la corde, amené de Buenos Aires. Au moment de passer à la caisse, j'ai payé avec ma carte de crédit. Aussitôt de retour dans la voiture, il m'a culbutée sur la banquette arrière. Il m'a prise par en arrière. Était-ce parce que j'avais acheté le pantalon que son désir s'est réveillé de la sorte? Ou la brutalité de son geste s'expliquerait-elle par le fait qu'il s'est rendu compte que, dans certaines circonstances, il peut tout simplement me traiter comme une pute?

Quand le désir l'excède, il me traite comme une chose, mais cela ne suffit pas. Je voudrais qu'il aille encore plus loin. Quand sa verge ne sera plus un obstacle, alors je serai en danger, et je pourrai enfin te rejoindre, Juan Carlos. C'est l'estocade du toréador que je cherche, non pas son corps. Je n'ai que faire de son corps, il m'indiffère, son corps, il me dégoûte, il me rappelle que je suis aride, sèche, à jamais tarie. Loin de toi, l'amour n'est plus possible, Juan Carlos. Tu m'avais appris à ne pas rester accrochée au geste qui se répète. Avec toi, j'ai compris que le corps n'est jamais une fin en soi. La peau, pour sentir, a besoin de renouveler constamment ce qu'elle touche. Une caresse qui se prolonge n'est plus une caresse mais un stationnement dans lequel on s'oublie au volant. L'amour, c'est ce qui se pétrifie dès qu'on se sert de l'amant pour jouir. J'étais d'accord avec toi quand tu disais que les hommes ne vont au lit qu'avec un stéréotype dans les bras. Bercés par la masturbation invétérée de l'espèce, ils cherchent à répéter le premier geste leur ayant ouvert les voies du plaisir. Ce qui explique que leur dernier orgasme soit toujours le premier. Et l'on est là, nous, les femmes, pour les aider à mettre le pied dans leur propre étrier. Je sais, Juan Carlos, tu n'aimais pas ce côté grinçant chez moi, ce côté vindicatif. Alors, je me tais, plus rien à dire, c'est ça que tu veux? Mon

babil, Juan Carlos, nous maintient au moins éveillés, en
attendant que Gabriel, ton fils, cet archange raté, cesse
d'être un pont entre toi et moi. Pourquoi suis-je si sûre qu'il
me conduira vers toi ? Parce qu'il confond le Nord avec le
tombeau de son père, il ne peut être qu'un pont. Être avec
lui, c'est avoir déjà un pied là où le soleil ne pénètre jamais.

Lorsque tout est perdu, reste la mort comme un espace
de célébration. Voilà notre lieu commun, mon amour. Je
m'y rends, Juan Carlos, je m'y rends. Ce journal truffé
d'insanités devra — lui aussi — céder sous peu la place à
cette nuit qui n'a pas de fin.

Gabriel m'a rapporté que les flics interrogent le couple
de Guatémaltèques qui travaillait chez toi. Nidia et Rufino,
t'en souviens-tu ? Il paraît que le mari avait un casier
judiciaire passablement fourni. *Il aurait dévalisé, sodomisé
et étranglé par la suite une touriste américaine du Texas à
Quetzaltenango en 2001.* On vit dans un monde dangereux,
a grommelé ton fils comme s'il jouait dans *Blue Velvet* de
David Lynch.

— Pourquoi est-ce que tu me racontes tout ça, Gabriel ?
Tu sais qu'à l'ambassade on est au courant des progrès de
l'enquête.

— Du manque de progrès, tu veux dire, s'est-il
empressé de corriger.

— Tôt ou tard, l'auteur du crime sera pris, ai-je dit
d'une voix qui se voulait détachée.

— Tu ne crois pas au crime parfait ?

— Il y a trop peu de meurtres dans ce pays pour que les
flics se résignent à le classer sous cette rubrique.

Son visage s'est assombri et il n'a plus rien dit.

Le moment de passer aux aveux était ainsi bel et bien
arrivé, mais pas un mot ne sortait de ma bouche, Juan
Carlos.

— Bientôt la neige va nous enfermer comme des phoques sur la banquise. Foutons le camp d'ici, Ana! s'est-il soudainement enthousiasmé.

Au lieu de rêver, pourquoi ne m'aidait-il pas plutôt à vider mon sac? Ç'aurait été plus facile pour moi. Pourtant, faut-il que je l'avoue? je crois que ça faisait mon affaire, Juan Carlos.

— Je n'ai pas peur de la neige, Gabriel.

— On est trop noirs tous les deux pour passer inaperçus, Ana.

J'ai aussitôt fixé mes yeux sur lui. Encore une fois ces allusions qui étaient bien pires qu'une accusation en bonne et due forme!

— Pourquoi ne dis-tu pas une fois pour toutes ce que tu as sur le cœur? Allez, vas-y!

Ma voix tremblait et j'avais des crampes à l'estomac.

Il m'a prise dans ses bras avec cette tendresse désespérée qui ne le lâchait plus.

— Je veux qu'on parle de notre avenir, m'a-t-il soufflé à l'oreille.

Il avait le ton de quelqu'un qui déballe un cadeau.

— C'est dans le rétroviseur de ma voiture que je te vois, Gabriel, ai-je à mon tour murmuré à l'oreille de ton fils.

Il m'a regardée avec tristesse, hochant silencieusement la tête de droite à gauche.

Voici donc, Gabriel — puisque tu y tiens —, le récit de l'été que j'ai passé avec ton père en Europe. *Paris, Quartier latin, rue Saint-André-des-Arts, terrasse d'un café à la mode, face à la fontaine Saint-Michel, midi, il y a douze mois à peine. Il fait très chaud cet été-là. Les hommes cherchent l'ombre des filles pour y rafraîchir leur regard. Le voilà, ton père, regarde ses yeux posés sur un autre corps que le mien. Observe ces yeux fouineurs, passionnés, lubriques. Des yeux agiles de chasseur furtif, toujours aux aguets. On est au cœur de l'été, la lumière (beaucoup trop crue pour le gris qui m'habite) sculpte à coups de hache le galbe des femmes. Il prétend qu'il m'attend mais, en réalité, il est, comme à l'accoutumée, dans ce cône de lumière intense où son désir mijote les plats les plus épicés. Il fixe les femmes, bien sûr, il les détaille. Tous les mecs font ça, dépecer une fille, la couper en petits morceaux pour mieux la digérer, sauf que ton père, lui, était différent. Les hommes ordinaires se conduisent d'habitude en bouchers. Leurs petits fantasmes ont besoin de petits morceaux. Ton père, tout en détaillant, ne perdait jamais de vue l'ensemble. Un homme de classe, et généreux avec ça. Le plaisir pour lui, c'était d'abord de le transmettre. Et voilà qu'une blonde, la trentaine fringante, étale devant sa table la cambrure de ses reins de serveuse promise à de meilleures courbettes. Le client, la quarantaine bien entamée, à qui elle sert un café crème, reluque l'échancrure par où pointe le galbe d'une poitrine coquine. Et moi, je regarde cette travailleuse non qualifiée que deux regards convoitent à la fois. Faut-il que je casse le tableau? Faut-il que j'intervienne telle une empêcheuse de bander en rond? Je venais de traverser les douanes de Charles de Gaulle-Roissy sans avoir pu passer d'autres armes que mon amour pour lui. Je suis arrivée ponctuelle à notre rendez-vous parisien, et ton père (c'est comme ça que je le vois à présent) était ailleurs. Un incident de rien du tout, tu me diras, certes, mais combien prémonitoire de ce qui se passerait ensuite. Dès qu'il m'aperçoit, il se met debout comme un gentleman, et il écarte les bras pour étouffer toute inquiétude.*

— Tu es sûr que tu veux que je continue mon récit, Gabriel? Au présent, que tu dis? Pourquoi pas au passé? Ça serait moins douloureux pour moi. Soit, je ne ferai pas de chichis cette fois, mais je te préviens que c'est la dernière.

Il m'emmène à l'hôtel où nous passerons trois jours avant de visiter Arles. Ton père veut me montrer le lieu exact où Van Gogh a été touché par la lumière qui a changé l'histoire de la

peinture moderne. J'ai beau lui expliquer qu'en dehors du gris
métallisé aucune autre couleur ne m'intéresse... Sacrée Ana, dit-
il, sacrée Ana. J'aime le son de sa voix quand il m'accepte telle
que je suis. La main dans la main, il me fait entrer dans un dédale
de rues piétonnières. La fenêtre de notre chambre donne sur les
gargouilles d'une église voisine. Des dragons et d'autres ani-
maux gothiques crachent l'eau dès qu'il se met à pleuvoir, mais
aujourd'hui le soleil brille dans leurs gueules ouvertes. La
lumière éclate alors que je n'aspire qu'à l'obscurité équivoque des
maisons closes. J'ai oublié le nom de l'église qui a été témoin de
notre rencontre à Paris (était-ce Saint-Séverin?). Aussitôt fran-
chi le seuil de la chambre, il pose sa main droite sur ma nuque, et
je n'ai qu'à plier comme un roseau. Par instinct, il sait qu'une
femme amoureuse accepte tout à la seule condition que le désir
soit juste. C'était midi, je me répète, l'heure où tout colle à la
verticale. De toutes les gargouilles qui nous entourent, la sienne
est la plus raide.

— Tais-toi pour l'amour du Ciel! a enfin crié ton fils.

Alors, j'ai fermé le robinet par lequel tu gouttes, mon
amour, lorsque j'oublie de dire la vérité.

Qu'est-ce qu'il veut au juste, ton fils? Il exige que je lui
raconte ce que tu faisais quand on était ensemble. Pourquoi
cet acharnement? Sa curiosité morbide à ton égard serait-
elle le revers de l'abandon dont il dit avoir été victime?

— Les détails. N'oublie surtout pas les détails, insiste-
t-il.

Dès que je déballe mon sac de souvenirs inventés de
toutes pièces, il devient pâle et sa voix tremblote. Parfois, il
demeure silencieux tandis que ses yeux se remplissent de
larmes. Je n'y comprends rien. Je me plais à lui raconter des
voyages qui n'ont jamais eu lieu, ceux surtout que ta mort
a laissés en suspens. Tu n'as pas à t'inquiéter, Juan Carlos,
je ne révélerai jamais où tu m'emmenais quand j'étais dans

tes bras. C'est notre secret le mieux gardé, notre jardin pour la nuit qui nous attend. Quoi de plus sûr et de plus hermétique qu'une conscience criminelle ? Non, je ne trahirai pas ce que les mots échoueraient du reste à représenter. Je ne ferai pas la chronique de ce nid d'intensité sur lequel les mots n'ont aucune prise. N'est-ce pas complètement naïf de croire que la parole est capable d'extraire la passion de deux corps nomades du passé ? Après tout, la vocation d'archéologue de ton fils m'amuse ; il ignore que son enquête ne fait que brouiller les pistes. Comme un enfant, il compte ses jouets avant d'aller se coucher. Mais il se trouve, dois-je encore le rappeler ? que je ne suis pas sa poupée Barbie ; il ne veut pas comprendre que même le dernier de mes cheveux t'appartient. Aussi oublie-t-il que les cimetières sont les seuls propriétaires qui conservent leurs biens contre vents et marées.

Il va falloir faire quelque chose pour que cette histoire ne se transforme pas en vaudeville. Hier (il était de visite chez moi, oui, excuse-moi, Juan Carlos, il a fallu que je cède), j'ai surpris ton fils en train de fouiller dans mon bureau. Il jure que non, mais je sais qu'il ment. L'idée qu'il aurait pu tomber sur mon journal m'a bouleversée, je l'avoue. Dès que j'ai commencé à l'engueuler sans trop de ménagement, il s'est mis à bredouiller qu'il cherchait un stylo à bille pour écrire une lettre.

— On n'écrit plus de lettres de nos jours, voyons ! on envoie des courriels, ai-je crié dans un emportement qui me soulageait.

— Calme-toi, Ana, de quoi as-tu peur ?

— Je n'ai peur de rien. Surtout pas de toi. Je n'aime pas que tu mettes le nez dans mes affaires, c'est tout.

Jamais ma voix n'avait sonné aussi sèche. Moi-même, j'ai été surprise par la violence de ma réaction. J'aurais pu le gifler, je crois. Plus il essayait de m'apaiser, plus il m'irritait.

— Tu violes mon intimité, bon à rien! ai-je vociféré en accentuant encore plus l'hostilité qui me gagnait tout à coup.

J'ai parcouru deux cents kilomètres pour venir te voir. Le chauffeur n'a pas répondu à mon salut au moment où je suis monté à bord de l'autocar. C'était le premier signe d'une journée que j'aurais mieux fait de ne pas vivre. Peux-tu croire, Juan Carlos, que c'est tout ce qu'il a trouvé à dire? Le regard mou, la main droite sous le menton, comme s'il avait du mal à tenir sur ses deux épaules le poids de sa tête, il est resté là. Je ne sais plus quoi faire pour qu'il s'en aille. Aide-moi, Juan Carlos, toi qui, sans le vouloir, l'as mis sur mon chemin. Si j'avais su que ta mort le ferait entrer dans ma vie, j'aurais probablement réfléchi à deux fois avant de tirer sur toi. Excuse-moi, mon amour, je ne sais plus ce que je dis! Il y a des moments où je ne vois plus rien. Tout ce que je veux, c'est me retrouver seule avec toi, en tête-à-tête comme dans le passé. Mais toi, m'acceptes-tu telle que je suis devenue? Peux-tu comprendre que ton fils me rapproche de toi tout en étant si différent de toi? Alors que tu étais l'élégance incarnée, Gabriel ressemble de plus en plus à un sans-abri qu'on aurait oublié sur un quai de métro la nuit. Ses caresses manquent de finesse, tout se passe comme s'il avait perdu la foi dans ses deux mains. Il a beau faire des efforts, sa peau est gelée comme une patinoire sur laquelle on ne peut que glisser. Pourquoi ai-je alors abandonné mon corps entre ses bras? Comment effacer ce fantôme qui te ressemble tout en étant l'opposé de ce que tu représentais pour moi? Un sentiment d'écœurement a failli me faire vomir.

Alors j'ai crié haut et fort:

— Va-t'en! Laisse-moi! Fous-moi la paix!

Encore ce regard triste posé sur moi. Un essaim de mouches, lourd, compact, agglutiné, flottait dans ce regard. Rien ne déborde sa patience. Et si c'était ça, le don de ton fils? une patience infinie, une attente patiemment cultivée qui se prolonge jusqu'à se perdre dans la voix du père? Et si ton fils n'était né que pour se fondre dans l'anonymat? Né pour personne, né pour rien, né pour *nada*, comprends-tu ce que je veux dire, Juan Carlos?

— S'il te plaît, Gabriel, rentre chez toi. Tu n'as rien à faire ici.

— Chez moi, c'est là où tu es, Ana.

En vain, sa voix cherchait ma main.

— Je ne suis pas là, tu te trompes. Ana n'est plus là, tu comprends?

— Il faudrait que tu appelles les flics pour m'arracher d'ici. Ana a besoin de moi, Ana.

— Personne n'a besoin de toi, Gabriel, voilà ton problème. Tu es de trop, comme nous tous d'ailleurs. Tu n'es qu'un zéro à la gauche de Dieu le père.

Pourquoi ma voix était-elle si violente? Pourquoi voulait-elle mordre à tout prix?

Et voilà que ton fils, au lieu de me donner la paire de gifles que je ne méritais que trop, m'a attirée vers lui pour m'embrasser sur le front.

— Tes baisers aussi, Gabriel, sont de trop. Profites-en, maintenant qu'il est encore temps, pour t'en aller.

Rien ne semblait être en mesure d'apaiser ma colère. Du moins, c'est ce que je croyais. Encerclée par mes propres mots, j'étouffais sur place.

Soudain, il a posé sa main sur ma nuque avec une assurance dont je ne l'aurais jamais cru capable et il m'a murmuré à l'oreille:

— Je t'aime et je veux t'épouser, Ana.

6

Me voilà dans de beaux draps, rumina-t-il en songeant à Ana Stein tandis qu'il était encore dans le car qui le conduisait à Ottawa. Son projet de vivre avec elle chamboulait tout dans sa tête. Avant de la connaître, le monde avait encore un sens pour lui, il suffisait de haïr et tout se mettait en place. Cette perspective avait toujours été celle de sa mère. C'était à l'aune de la haine ou de l'amour qu'elle mesurait ses rapports avec les hommes. Dans un cas comme dans l'autre, il n'y avait pas de demi-mesure. Le Consul, cible de choix, en était devenu l'apothéose du pire : *Ce coureur de jupons et de mauvais lieux (Dieu veuille que le diable en personne lui fasse payer cher son abandon, mon fils) a plié bagage au moment où tu avais le plus besoin de lui. Sans crier gare, ton père est parti pour l'étranger en nous laissant seuls et sans le sou. Celui qui par dérision t'a donné un nom d'archange, Gabriel, voulait que toi et moi on crève comme des rats, m'entends-tu ? voilà la vérité.* Combien de fois lui a-t-elle tenu ce discours ; à force de le lui enfoncer dans le crâne, elle avait amené son père à ne plus jouer que dans des films de série noire. Cela expliquait sans doute pourquoi, depuis son enfance, il le projetait sur un écran en noir et blanc. *Cet homme qui s'efface — regarde-le, mon fils —, c'est ton père avec une valise à la main. Il n'a plus d'yeux que pour l'avion qui l'arrachera à nos vies. Ne lui dis rien, ce n'est pas la peine, il n'écoute pas. Dès qu'il s'agit de nous, il devient sourd comme un pot. Je suis contente que tu viennes vivre avec moi, Gabriel, mais tu sais qu'on ne se verra pas beaucoup. Si je n'arrive pas à faire un peu d'argent maintenant que je suis encore jeune, demain il va falloir qu'on fouille dans les poubelles pour manger, mon fils.* Aussi loin qu'il s'en souvenait, un sentiment de précarité se dégageait de toutes ces années-là. Ana Stein, par contre, la femme qu'il disait aimer, lui paraissait invulnérable, du moins pour l'instant. Tout se passait comme si le futur, pour elle, devait toujours rouler en Golf GTI. Pourtant, quelque chose lui disait qu'elle ne pouvait pas être «vraie». Gabriel avait cette impression depuis qu'il en était amoureux. À force de l'imaginer, l'amour se présentait à lui comme une pure illusion. Et si Ana Stein n'était qu'un personnage de roman policier projeté par un père dont la voix se refusait tout simplement à mourir? Voilà la question saugrenue qu'il se posa en constatant que quelque chose faisait drôlement défaut chez elle. Était-ce le manque de cette douceur à laquelle sa culture d'origine latine associait l'image de la femme? Quel rôle cette jeune femme à la beauté froide avait-elle joué dans le déclin du Consul?

L'autocar étant entré en gare avec vingt minutes de retard, il prit un taxi pour arriver à l'heure à son rendez-vous avec Ana Stein, au centre-ville d'Ottawa. À l'angle de Laurier et Elgin, il la vit venir avec ses minutes comptées. Elle avait trois quarts d'heure tout au plus à lui consacrer, prévint la jeune femme sur le ton de quelqu'un qui n'est pas maître de son temps. *Ça se peut même qu'on m'appelle sur mon cellulaire et que tu sois obligé de payer la note*, avait-elle blagué la veille au téléphone. Son travail était trop prenant, un nouvel ambassadeur exigeant d'elle des heures supplémentaires. *Des heures supplémentaires seulement, Ana?*

s'était-il interrogé dans son for intérieur en cédant à la tentation du soupçon. Au moins avait-elle accepté qu'ils se rencontrent afin de discuter des préparatifs du mariage, sujet qu'elle se plaisait du reste à reporter de semaine en semaine sous prétexte que des erreurs de ce type ne devaient se commettre que lorsque tous les délais avaient été bel et bien épuisés. Cela faisait au moins deux mois qu'elle jouait au chat et à la souris avec lui. Elle avait des verres foncés, Ana, des flocons de neige auréolaient son visage toujours plus beau que la veille. Voilà qu'au lieu de le repousser, le plaisir mêlé d'incertitude qu'elle lui donnait renforçait son attachement. La première grosse chute de neige de la saison lui rappelait que le Sud n'était plus qu'un souvenir. De la neige partout, et l'on ignorait toujours qui avait appuyé sur la détente du revolver Smith & Wesson modèle 3913, mieux connu sous le nom de « Lady Smith », qui avait rayé le Consul de la carte. Lorsque Da Silva, le *lead investigator*, lui avait passé un coup de fil pour lui annoncer qu'ils avaient trouvé l'arme du crime, loin de s'en réjouir, Gabriel s'était renfrogné. D'ailleurs, il ne voulait plus croire ce qu'ils racontaient à la GRC. Depuis qu'Ana Stein était entrée dans sa vie, les priorités n'étaient plus les mêmes. Curieusement, alors qu'il ignorait tout de son existence, on aurait dit que l'objet de son voyage au Canada ne pouvait être qu'elle.

Dès qu'Ana s'approcha de lui et bien avant qu'il ne l'embrassât, elle lui fit savoir qu'il avait eu tort d'insister pour venir à Ottawa. Elle dit qu'elle devait être à Montréal en début d'après-midi. *Pour quoi faire ?* demanda-t-il d'une voix déçue. Prenant un air détaché, comme si rien de tout ça n'avait la moindre importance, elle lui expliqua qu'elle avait rendez-vous avec les enquêteurs de la section des homicides à la GRC. C'était donc pour ça qu'elle y allait ? Frustré, il la regarda droit dans les yeux. *Pourquoi diable ne me l'as-tu pas dit plus tôt ?* Cette fois-ci, contrairement à son habitude, il durcit le ton. L'air ailleurs, elle se demanda soudainement à voix haute si son nom ne figurait pas sur la liste des suspects. Alors il la prit par le bras, l'entraînant avec lui dans une marche qui se voulait celle d'un couple comme les autres. La neige accumulée sur les trottoirs alourdissait leurs pas. *C'est normal, il faut qu'ils interrogent tout le monde*, dit-il pour la rassurer. Visiblement absente, Ana ne parlait qu'avec la petite fille qui s'agitait dans sa conscience. C'était comme si elle était déjà au volant de sa voiture en route vers la métropole. Il faisait très froid et les trottoirs étaient glissants. On voyait le canal Rideau s'enfoncer dans un lit de coton. Ils marchaient la tête basse. L'avenue Laurier, large et en pente, étalait à la queue leu leu son lot de voitures dont les pneus dérapaient comme les pattes des manchots sous le coup des vagues. Ils la traversèrent lentement, s'appuyant l'un sur l'autre, *keep moving*, se disait-il, *keep moving*, comme pour garder le rythme sans lequel la démarche se fige et nous transforme en statue de notre propre peur. Le restaurant breton, le Château-Brillant, dont elle avait vanté les mérites la veille au téléphone, parut enfin au détour d'une ruelle que seuls devaient connaître les habitués du quartier des ambassades. Dès qu'elle eut franchi la porte, des yeux se tournèrent vers elle (c'était devenu un rituel, à quoi bon le nier ?), un picotement dans les reins lui fit comprendre que, comme les voitures qu'elle aimait tant, Ana Stein ne roulait que pour provoquer le vertige.

— Deux crêpes bretonnes, et du cidre vicomte de Chateaubriand, s'il vous plaît, commanda-t-elle dans un français irréprochable.

L'anglais d'Ana était également sans accent. La jeune femme mettait tout son talent dans les langues, alors qu'elle consacrait son génie à se compliquer la vie. Voilà ce qu'il pensa spontanément, incapable de comprendre pourquoi Ana Stein pouvait s'intéresser à un type comme lui. Assis en tête-à-tête, il la contempla à son aise. Il aurait passé volontiers des heures à le faire. S'il n'y avait pas eu autant de monde, il se serait déjà levé pour l'embrasser longuement sur la nuque, là où une intimité d'une douceur infinie faisait oublier le regard parfois dur de la jeune femme. Ce fut alors qu'elle lui demanda de but en blanc s'il avait la trouille. *Tu dois avoir la trouille, n'est-ce pas, Gabriel ?* Il fit la sourde oreille, mais elle revint à la charge avec cette insistance d'enfant qui la caractérisait lorsque la curiosité s'emparait subitement d'elle. *Je crois que sans la peur je n'aurais pas le sentiment d'exister*, avoua-t-il en baissant les yeux. Ana Stein détourna son regard de lui, puis elle dit que les flics voudraient sans doute l'incriminer. La jeune femme parlait sans l'ombre d'une inquiétude, mais quand Gabriel rétorqua sur un ton doux qu'il la voyait plutôt dans le rôle de la victime, ses yeux, loin de s'adoucir, fulminèrent le désaccord le plus total. Il avait du mal à comprendre la logique qui présidait à ses réactions. « *Je te vois mieux dans le rôle de la victime* », *pourquoi est-ce que tu dis ça au juste ? Dis-moi pourquoi ?* questionna-t-elle, irritée. *On a tous été ses victimes, Ana*, bredouilla-t-il à mi-voix. *Je ne crois pas aux victimes*, répliqua-t-elle du tac au tac. Voilà Ana, *Ana la loca* (*Ana la folle*, c'est comme ça que le Consul l'appelait quand elle montait sur ses grands chevaux) qui reprenait la parole pour lui rappeler que c'était lui, Juan Carlos Olmos, qui avait perdu la vie. Ils étaient à table pour manger, mais Gabriel sentit que son appétit avait foutu le camp et il se pouvait fort bien que, lorsque le cidre serait débouché, Ana Stein fasse tout pour qu'il ne désaltère que sa colère.

De retour à Montréal, Vidalina l'attendait, une tasse de café noir à la main. Là, dans sa tanière du Mile-End, elle jaugeait la détresse du monde sans s'occuper du temps qui passait. Sa mine d'enterrement sentait l'orage que l'excès de café ne ferait qu'aggraver. La maîtresse de maison avait la robe de chambre en laine d'un bleu délavé qu'elle mettait avant d'aller au lit. Une robe de chambre de femme qui s'habille à petits frais dans les friperies du Plateau. Encore une nuit seule sous ses draps eux aussi achetés au rabais dans une braderie avenue du Mont-Royal. Le spectacle de ce corps de femme dont la chair encore ferme ne trouvait pas preneur mettait mal à l'aise Gabriel. En y réfléchissant bien, il se dit que le café était probablement le seul amant de Vidalina. Il s'apprêtait à lui débiter deux ou trois phrases banales sur son dernier voyage à Ottawa lorsqu'elle lui demanda à brûle-pourpoint si son séjour chez elle allait se prolonger longtemps. Sans se départir de son sens de l'humour, il lui répondit qu'il cesserait dès qu'elle le mettrait à la porte. Aussi y avait-il de la résignation dans sa voix. Les bonnes Samaritaines de la trempe de Vidalina avaient le droit après tout de chasser des locataires dont la gueule ne leur revenait plus.

Il huma longuement l'arôme musclé du café se répandant dans la cuisine. Cette fois-ci, elle ne l'invita pas à s'asseoir à sa table, mais il le fit quand même. Pique-assiette, une nuit de plus, qu'est-ce que ça pouvait bien changer ?

Elle voulut savoir s'il avait déjà un endroit où aller.

— Je m'en vais vers un lieu nommé mariage, annonça-t-il sur un ton enjoué qui l'étonna lui-même.

Sans le consulter et d'un geste presque mécanique, elle lui servit du café, puis l'examina avec l'expression de quelqu'un à qui l'on vient de faire une fort mauvaise blague. L'horloge murale sonna vingt-trois heures et il pensa à Ana Stein. Le moindre événement, fût-ce le mouvement d'un pendule battant la seconde, le ramenait à elle. Il considéra la tasse tout en sachant que s'il buvait le café noir de Vidalina, sa nuit ne serait que trop blanche.

La voix pâteuse, sans âge, probablement insomniaque de la Guatémaltèque revint à la charge. Une de ces voix à l'affût des fractures, capables d'épier tous les signes avant-coureurs du déclin d'un homme :

— Vous auriez intérêt à divorcer avant de vous marier, dit-elle, énigmatique.

Décidément, cette femme l'épatait.

— Divorcer ? Expliquez-moi comment un célibataire pourrait divorcer, Vidalina, s'enquit-il en prenant une première gorgée.

— Vos noces avec la mort sont encore trop fraîches, Gabriel.

— « Noces avec la mort » ? Franchement, Vidalina, je comprends qu'à force de vivre seule la vie pour vous devienne un mélo.

— Réfléchissez un peu, Gabriel, je parle de votre deuil, précisa-t-elle, piquée au vif.

Il sourit. Le sarcasme de la femme qui le logeait sans rien lui demander en échange était aussi fort que son café.

— J'épouserai Ana Stein, Vidalina, et nous passerons notre lune de deuil l'un contre l'autre pour nous tenir chaud l'hiver, dit-il d'un trait avec la voix d'un acteur qui serait sûr de son rôle.

Il avait une semaine pour réfléchir à son avenir, c'était le délai fixé par Vidalina pour le faire sortir du songe dans lequel, selon elle, il s'abîmait. Tout en s'excusant de se mêler de ce qui ne la regardait pas, elle manifesta de sérieuses réserves quant à son projet de mariage avec Ana Stein. Évitant de tourner autour du pot, la Guatémaltèque lui fit savoir que le comportement qu'il avait face à la mémoire du défunt la choquait. Comment osait-il seulement

songer à épouser la maîtresse de son père ? Pour cette
femme à principes, la mémoire d'un père commandait le
respect le plus total. Pourquoi ce besoin tout à coup de jeter
l'ancre ici à n'importe quel prix ? l'interrogea-t-elle sur ce
ton grave qui donnait à sa voix une résonance de maîtresse
d'école. Que savait-il au juste du passé de la jeune femme ?
Par esprit de provocation, Gabriel eut presque envie de lui
révéler que le grand-père paternel de celle qu'il présentait
comme sa fiancée était un ancien nazi réfugié au Paraguay,
mais il se retint. C'était Ana Stein qui le lui avait appris lors
d'un repas copieusement arrosé dans un de ces petits
restos du Plateau qu'elle aimait tant. Tandis que Gabriel
gardait le silence, Vidalina, encore une fois, tint à lui faire
savoir que le choix d'Ana allait à l'encontre du « gros bon
sens ». Le « gros bon sens », voilà ce qu'elle dit, cette femme
venue d'ailleurs dont les yeux trempaient à longueur de
journée dans une tasse de café noir. *Seriez-vous jalouse ?*
plaisanta-t-il en cherchant à détendre l'atmosphère. Alors
le regard sombre de l'immigrée se posa sur lui avec cette
mélancolie qui depuis son enfance le rendait responsable
de la tristesse du monde.

L'image d'Ana Stein l'absorbait de plus en plus. Proje-
tée sur un écran en noir et blanc, Ana occupait chacune de
ses pensées. Sa demande en mariage revenait de plus en
plus souvent. Il arriva même à la conclusion que c'était le
seul projet possible entre eux car, en dehors du mariage,
elle lui glissait des doigts. Lors d'une de leurs rencontres à
Montréal, elle voulut savoir pourquoi il s'entêtait à vouloir
l'épouser. *Ça n'a aucun sens !* s'exclama-t-elle dans un accès
de sincérité qui le bouleversa. Ils venaient de quitter une
salle de cinéma du boulevard Saint-Laurent où ils avaient
revu le film *Casablanca* avec Humphrey Bogart. Il aimait la
manière dont l'acteur marmonnait l'anglais avec une

cigarette entre les lèvres. Le froid fit que les gens se dispersèrent rapidement. Les trottoirs n'étaient qu'un sauf-conduit pour gagner le foyer le plus proche. Aucune animation, rien qu'un lieu hostile à toute forme de flânerie ou de vagabondage. *Pourquoi veux-tu m'épouser ?* Voilà la question qu'avait posée la jeune femme au beau milieu d'une rue déserte. *Je t'aime, Ana,* fit-il comme s'il était dans un film. Au lieu de le prendre au sérieux, elle s'esclaffa bruyamment. La saisissant par le bras, il l'entraîna alors dans un nouveau bistrot marocain, Casablanca, qui venait tout juste d'accrocher ses merguez sur la Main. Le vin maison, comme tout ce qui est mauvais, arriva vite. *Pourquoi tu ris comme ça ? Est-ce que tu te fous de ma gueule ?* la questionna-t-il. Le visage d'Ana se crispa tout à coup. *Parce que c'est ridicule, voilà pourquoi je ris, « je t'aime » n'est qu'un cliché, un mot tout fripé, du papier cul, voilà, ça veut rien dire du tout, tu comprends ?* Inquiet, il changea de stratégie en s'empressant de jouer le cabotin : *Soyons ridicules jusqu'au bout, Ana, portons un toast : Pour l'avion qui nous attend à Casablanca.* Elle ne leva pas son verre, mais se contenta de le regarder avec une expression de défi. *N'oublie pas de m'envoyer une carte postale une fois que tu auras traversé les nuages,* murmura-t-elle au bout d'un silence ponctué par le brouhaha se dégageant du fond de la salle. Puis elle détourna son regard. Un type aux cheveux frisés, un cellulaire à la main, vint prendre place à la table voisine. Il avait le regard profond d'un de ces portraits qu'on trouve sur les sarcophages des momies en Égypte. Mon Dieu qu'il était beau, lui ! Il portait un costume d'un bleu cobalt, et une montre-bracelet en or massif serrait son poignet. Gabriel se sentit minable à ses côtés. Il comprenait parfaitement qu'elle le regarde, celui-là. C'était la première fois qu'il observait chez elle ce geste manifeste de fixer son attention sur un inconnu. Il se pouvait que l'atmosphère exotique des lieux et ce visage basané sentant la Méditerranée y fussent pour quelque chose. Il y avait aussi la musique dont les voix maghrébines coloraient l'air de déracinement et d'exil. Le nouveau venu, lui aussi, la regardait. Comment ne pas regarder ce visage qu'on voudrait porter tel un médaillon gravé sur le front? se demanda-t-il, convaincu qu'il assistait à une scène de coup de foudre qui se déroulait à ses dépens. À sa grande surprise et contre toute attente, elle dit : *Je n'aime pas les hommes qui portent de l'or sur eux* et l'étranger dès lors cessa d'exister pour Ana Stein. Pourtant, d'autres hommes viendraient qui n'auraient pas d'or sur eux. Combien de temps pourrait bien durer sa relation avec elle? Combien de temps faudrait-il à Ana Stein pour faire le tour d'un amant aussi plat que lui? Puis, tout en faisant semblant de ne pas y accorder trop d'importance, il lui demanda comment s'était passée sa rencontre avec le caporal Da Silva de la GRC. Elle répondit qu'il l'avait interrogée pour savoir où elle se trouvait le jour du décès du Consul. Il y eut un silence durant lequel il pensa qu'elle s'arrêterait là tellement sa voix semblait fatiguée. Puis, soudainement, elle reprit la parole :

— Cette fin de semaine-là, j'avais fait une retraite. C'est ça que je lui ai dit.

— Une retraite?

Sa question étant maladroite, il aurait voulu l'effacer. Il s'en mordit les lèvres. Mais Ana Stein, toujours imprévisible, y répondit avec calme. Elle avait été accueillie dans une maison de l'Opus Dei lors de son arrivée à Ottawa, dit-elle.

Elle retira son écharpe, qu'elle avait gardée jusque-là roulée autour de son cou, et ses cheveux noirs se mirent à caracoler sur ses épaules. Bien que tout à fait conscient qu'il marchait sur des œufs, il osa formuler une nouvelle question :

— Quelle a été la réaction de Da Silva?

— Aucune.

— Aucune ?

— Il a dit que je ne pouvais quitter le pays tant que l'enquête ne serait pas terminée.

Il sentit qu'une main invisible serrait sa gorge et ce fut avec l'énergie du désespoir qu'il parvint à poser encore une question :

— On ne pourra donc pas partir en lune de miel ?

Elle l'observa comme s'il venait d'une autre planète. Puis elle dit :

— On n'a pas besoin de prendre l'avion pour aller à Casablanca, tu sais.

Devant son expression chagrine, pour une fois, elle s'efforça d'être gentille :

— La lune et le miel se marient difficilement, Gabriel. C'est une image contre nature, expliqua-t-elle d'une voix tendre et triste en même temps.

Plus tard, le vin lui ayant monté à la tête, il pensa qu'elle ne savait plus ce qu'elle disait. Il s'approcha pour l'embrasser, mais elle le repoussa de la main, doucement mais avec fermeté.

— Pourquoi ne me demandes-tu pas si l'alibi que j'ai donné au flic était vrai ?

Sa question le prenant au dépourvu, il eut le sentiment qu'elle était capable de dire n'importe quoi mais toujours sur un ton qui gommait les frontières entre le réel et la fiction. Et si Ana Stein n'était qu'une fabulatrice ? une de ces femmes dont l'imagination inquiète les pousse à torturer le réel, à le déformer au point de le rendre méconnaissable ?

— Je n'ai jamais eu une vocation de juge, Ana. Le jour où j'ai appris la mort de mon père, j'ai emmené une Noire chez moi pour y passer la nuit. Tu vois combien les choses ne sont pas claires dans ma tête.

Le lendemain matin, Ana lui passa un coup de fil pour lui annoncer qu'elle acceptait de l'épouser. Il n'en croyait pas ses oreilles. Aussi se pinça-t-il le bras pour voir s'il ne rêvait pas. *Est-ce que je rêve ?* C'était le réflexe de quelqu'un toujours aux prises avec les incertitudes de l'enfance. Il savait que, pour grandir, il aurait dû tout d'abord cesser d'adhérer inconditionnellement aux propos excessifs de sa mère. Il sentait à présent que ce que sa voix d'enfant n'avait pas réussi à dire, l'adulte qu'il était devenu le tairait à jamais. Puis il y avait tout ce concert de voix qui s'agitait dans sa tête ; celle d'Ana Stein accaparait ses nuits en brouillant beaucoup de pistes qu'il négligeait afin de ne pas la décevoir et encore moins l'affronter.

Purgée de la tristesse de la veille, elle parla mariage avec la légèreté d'une demi-mondaine qui serait tombée sur un beau parti. Comment expliquer qu'elle veuille épouser quelqu'un qui était sur la paille ? Puis il y avait tout ce qu'il ne comprenait pas chez elle et qu'il préférait ignorer, conscient que la meilleure vérité en amour est souvent celle qu'on maquille. Et voilà que la voix d'Ana Stein se fit entendre une nouvelle fois dans ses oreilles : *Je veux bien, j'accepte, je t'accorde ma main, mais pas celle de droite*, précisa-t-elle dans un sursaut de lucidité, *car, comme tu sais, je suis gauchère*. Il ne manquait plus que la robe blanche pour que l'illusion fût complète. *J'irai à pied, toute nue, de neige vêtue. Avec un peu de chance, nos témoins croiront que j'arrive vierge à l'église.* Bien que badine, son humeur n'était pas moins cynique. *La neige fond dès qu'elle te touche, Ana. Il nous faut quelque chose qui résiste au feu*, enchaîna-t-il. C'était clair que le projet de mariage donnait des ailes à son humour aussi. Soudain, il ne l'entendit plus. Ce n'était pas la première fois qu'elle lui faisait faux bond au beau milieu d'une conversation téléphonique. Elle ne raccrochait pas le combiné, sa voix s'éteignait plutôt comme une bougie ayant épuisé la cire qui nourrissait sa flamme. Ou parfois c'étaient des points de suspension qu'elle plaçait là, mine de rien, une façon comme une autre d'exprimer qu'elle en avait assez d'entendre des mots incongrus venant de la bouche de son interlocuteur.

— Ana, es-tu là ?

En dehors du lieu, il y avait aussi le registre de sa voix qui se dérobait. Quel était le *la* d'Ana ? Comment dénicher la note précise qui lui permettrait de se mettre au diapason de ce qui chez elle sonnait juste ? Pour cela, il aurait fallu que Gabriel fît confiance à son oreille, mais où puiser les ressources nécessaires pour interpréter les silences d'Ana Stein ? Tout bien considéré, le jeune homme ne savait rien d'elle, excepté qu'il l'aimait.

— Ana, es-tu là ?

Il formula la même question une troisième fois, puis une quatrième, jusqu'à ce que la voix de celle qu'il appelait sa fiancée daignât refaire surface :

— Es-tu sûr que tu veux te marier avec moi ? s'enquit-elle comme si tout était à recommencer.

Il y avait comme un ton mi-persifleur dans sa voix, mais il s'efforça de ne pas y faire attention.

— Est-ce que tu connais une autre manière de ne pas te perdre ? demanda-t-il avec toute la sincérité dont il était capable.

Un nouveau silence, puis sa respiration au bout du fil. Vint enfin la question qui le renvoya à la case départ :

— Comment peut-on perdre quelque chose qu'on n'a jamais eu ? Explique-moi ça, Gabriel.

Cela le touchait d'autant plus qu'elle n'avait pas tort. Il ne l'avait jamais *eue*, il ne l'aurait sans doute jamais. Ailleurs, ni ici ni là, Ana Stein ne livrait que des signes de détresse. Et si elle n'était qu'un leurre, le leurre qui attire le faucon pour l'empêcher de voler ? Mais de quel leurre

s'agissait-il ? Plus elle se montrait distante, plus il éprouvait le besoin d'avoir accès à cette frontière où elle semblait
se tenir aux aguets.

À court d'arguments, prêt à toutes les trahisons pour ne
pas la perdre, il dit encore une fois :

— Je t'aime, Ana.

— Je crois que tu te trompes sur toute la ligne, Gabriel.
Ne me dis pas que je ne t'ai pas prévenu. Il faut être
totalement timbré pour vouloir m'épouser, rectifia-t-elle
d'une voix qui avait du mal à cacher son énervement.

— C'est parce que tu ne t'aimes pas toi-même que tu ne
me comprends pas, Ana.

Elle se tut et il tressaillit : allait-elle raccrocher ? Mais sa
parole revint, précise et tranchante comme un scalpel :

— Je ne t'aime pas, toi non plus, Gabriel. Mon seul
amour est en train de pourrir six pieds sous terre. Ça au
moins tu le sais.

Il sentit que tout ce qu'il croyait comprendre s'effon-
drait d'un coup, mais sa voix ne fléchit pas :

— Je t'aime, je ne t'aime pas, ce ne sont que des mots,
Ana. Dès qu'on sera mariés, toi et moi, ils cesseront de
vrombir dans nos oreilles.

— Les mots, ce sont des cordes avec lesquelles, tôt ou
tard, on finit par se pendre. Tu le verras au moment de
répondre à la question : *Et vous, Gabriel Olmos, fils du
regretté Juan Carlos Olmos, voulez-vous prendre Ana Stein
comme épouse ?*

— Oui, je le veux, et ce, jusqu'à ce que la mort nous
sépare.

— Tu te trompes encore une fois, Gabriel, c'est la mort
qui nous unit.

Elle pouvait dire n'importe quoi, il avalait tout, y compris cet humour qui assombrissait de plus en plus sa
parole. C'était peut-être ça, l'amour, pour lui, une bouche

ouverte comme une latrine pour absorber tous les déchets du monde. Avant de couper, Ana précisa que leur mariage n'aurait lieu qu'à la condition qu'il demandât sa main au curé qui l'avait aidée lorsqu'elle n'avait pas le sou.

Gabriel entendit d'abord le grincement de la porte de la salle de bain, puis les pas nus de la jeune femme sur le plancher en bois du couloir. Cette fois-ci, nul besoin de l'appeler pour qu'elle vienne. Faire la sourde oreille, Ana aimait ça la nuit, sa manière peut-être de mettre à l'épreuve la patience jusque-là inébranlable du futur jeune marié. Ou était-ce plutôt une façon comme une autre de lui faire comprendre qu'elle n'était pour rien dans l'entêtement qui le poussait, lui, vers ce *mariage aux alouettes*? Elle s'approcha, corps et âme pour une fois ensemble. La souplesse de ce corps qui prenait toute sa place dans le regard des hommes le fit sursauter en dépit de l'exercice de respiration profonde qu'il pratiquait pour ne pas la prendre précipitamment dans ses bras. Puis il voulait retenir son plaisir jusqu'à la renonciation de l'orgasme si nécessaire. La carapace couleur papaye d'une tortue d'Iquitos transformée en veilleuse éclairait la commode de la chambre. Cette tortue de l'Amazonie péruvienne était probablement un cadeau du Consul, collectionneur passionné d'objets exotiques sud-américains. Elle n'avait jamais rien dit des largesses du défunt. La Golf GTI en faisait-elle partie? En réalité, il ne voulait plus rien savoir. Finie pour lui l'étape de l'enquête. Enfin il comprenait que la mémoire ne pouvait qu'être un obstacle entre eux. Puis il sentit les doigts effilés de la maîtresse de maison aborder de leur propre gré le haut de ses cuisses. Jamais une femme n'avait pris son sexe avec autant de lenteur concentrée dans ses dix doigts. Plutôt curieux pour une femme qui aimait la vitesse au volant. Là, rien de semblable, Ana Stein n'était que soie et recueillement. Si seulement ces instants de chrysalide pouvaient se prolonger indéfiniment, songea-t-il en silence. Étalée à ses côtés, absorbée dans l'extrémité de son corps enfin généreux, Ana répétait probablement des gestes qu'elle avait faits ailleurs. *Dis-moi, Ana, c'est comme ça que tu faisais avec lui ? À force de tout mettre dans tes mains, avais-tu réussi à réinventer le corps de papa ?* Son corps d'homme fatigué par la frivolité d'un métier qu'il n'avait probablement jamais aimé. Il savait que son père était un pur produit de Buenos Aires, un Portègne que l'exil avait sans doute rendu mélancolique. Alors, les mains d'Ana Stein dans tout ça ? La promesse d'un nouvel exil ? Mais, en la sentant si près de lui, il se garda bien de lui poser des questions. Surpris par des caresses qui dépassaient ses attentes, il la laissa faire. Puis, tout à coup, alors que ses mains d'homme commençaient, elles aussi, à goûter les frissons du corps qu'on pénètre, il effleura un objet étranger sur la cheville de la jeune femme. À la lueur de la tortue d'Iquitos, il y découvrit un bracelet argenté. Ce crabe métallique, d'où diable venait-il ? S'agissait-il d'une nouvelle parure ? En l'examinant de plus près, il comprit qu'il avait affaire à un bracelet électronique.

— Et ça ? fit-il sur un ton mêlé d'inquiétude et d'étonnement.

— Ça, quoi ?

— C'est nouveau, ça, n'est-ce pas ?

Elle ne dit rien, comme à l'accoutumée lorsque la situation la mettait mal à l'aise.

— Ce n'est pas un bijou, non, c'est autre chose. C'est quoi, ça, Ana ?

Les mains d'Ana cessèrent de s'occuper de lui. En une seconde, tout se figea. Alors toute l'énergie se déplaça vers sa voix rauque, traînante, d'une sensualité ravagée par son intensité même.

Elle dit :

— C'est un détecteur de mouvements miniaturisé. On me l'a mis à la GRC, un nouveau gadget à l'essai. Ça vient des États-Unis. Je leur sers de cobaye, comme ça ils savent où je mets les pieds, vois-tu.

— Ils n'ont pas le droit de te faire ça, les salauds !

D'un bond, il se remit debout. Alors Ana Stein le vit faire les cent pas dans la chambre avec l'expression de quelqu'un qui n'arrive pas à croire à ce qui lui arrive.

— Merde ! Merde ! Merde !

— Arrête de crier, ne vois-tu pas que tu me casses les oreilles ?

— Voyons, Ana, dis-moi que tout ça n'est qu'un malentendu, implora-t-il.

— C'est provisoire, ça ne veut rien dire, Gabriel, juste un bracelet électronique. Remarque, j'ai toujours aimé les bijoux, ça tombe bien.

Un sourire sardonique se défit sur ses lèvres.

Elle dit encore :

— Ça évite au juge d'ordonner la détention pendant l'enquête.

— C'est pas vrai, aucun juge n'accepterait de mettre en prison toutes les femmes qui ont couché avec papa ! s'exclama-t-il comme s'il cherchait à exorciser l'extrême tension qui s'emparait de lui.

— Je suis un poteau qui émet des signaux à un récepteur pour qu'il les envoie, à travers un téléphone, au Centre de contrôle du programme-pilote, voilà tout.

Sa voix étant détachée, il avait le sentiment qu'elle parlait de quelqu'un d'autre. Brusquement, il songea à la noce.

— Comment est-ce que tu vas faire le jour du mariage ? demanda-t-il d'une voix étranglée.

Elle le fixa avec mépris. Vraisemblablement, elle ne partageait pas ses inquiétudes. Puis sa voix récidiva, ironique et froide :

— J'y apposerai de petits cœurs rouges autocollants. Le curé pensera que c'est ton cadeau de mariage.

Il croyait qu'ils s'étaient mariés la veille, mais il ne s'en souvenait pas avec exactitude. C'était peut-être l'avant-veille ou même la semaine précédente. Ana le réveilla le matin pour lui dire *n'oublie pas qu'on se marie aujourd'hui de l'autre côté de la rivière des Outaouais*. Il était arrivé la veille à Ottawa. Jusque-là, elle avait joué avec la date qui changeait en fonction de ses humeurs. Aussi jouait-elle avec le curé. *Mon père, le jour de mes noces, vous devrez vous laver les mains avec l'eau du robinet et du savon de Marseille. Un mariage, c'est comme une pouponnière : faut pas que les microbes des noces qui auront précédé viennent infecter la nôtre*, lisait-on dans un des courriels envoyés au prêtre avec copie conforme pour le prétendant. Il n'avait jamais compris qui était ce curé à qui elle adressait des directives de la sorte. Tout ce qu'il savait, c'est qu'il s'appelait Ramón Alcántara, né à Oaxaca, au Mexique, et qu'il l'avait aidée dans le passé. Le jour où Gabriel s'était rendu chez lui pour demander la main d'Ana Stein, le prêtre l'avait regardé avec le mélange d'étonnement et de compassion qu'on réserve à ceux qui ont perdu la raison.

Le jour de son mariage, il arriva en retard à l'église. N'ayant pas fermé l'œil de la nuit, il éprouvait le sentiment que les choses se déroulaient indépendamment de sa volonté. Il mettait sur le compte du manque de sommeil cette impression de flou qui teintait sa vision des choses. Aussi, pour se rassurer, assimila-t-il la vie à une espèce de serre qui laissait inéluctablement le réel à la porte. Des voix furtives y prospéraient comme des fleurs migrantes dans un jardin d'acclimatation. Il se figurait qu'on était tous en serre dans une promiscuité de registres où s'effaçaient les frontières entre la vie et la mort. Puis, par petites bouffées de désespoir, l'image d'Ana, le gris métallisé de son allure mi-bête mi-machine, le ramenait à une zone peuplée d'incertitudes. Tout se passait comme si, après la mort de son père, la réalité avait tout simplement cessé d'exister. Avait-il vraiment réussi à quitter Buenos Aires et ses trottoirs dans lesquels résonnaient le passé de son sang ? Et si Montréal n'était qu'un long rêve d'hiver, une île-balcon suspendue entre deux néants ? Le seul membre de sa famille qui habitait ici n'y était plus. Quel regard reconnaîtrait l'existence concrète, palpable, de son séjour dans la métropole, cette ville-éponge qu'Ana arpentait comme un poisson dans l'eau ? *La seule chose que je ne peux pas faire, c'est me marier à Montréal. Je ne peux pas faire ça à cette ville poreuse et fluide. Tout ce que le mariage touche se coagule, et puis c'est la pétrification des couples que tout le monde connaît, leur criante victoire sur la vie. C'est ça que tu veux, dis, c'est ça ?*

— C'est ça, je veux qu'à force de t'aimer la pierre Stein cède sa place à Ana tout court, avait-il chuchoté à son oreille lors d'une dernière rencontre dans un *bed-and-breakfast* du Plateau Mont-Royal, avenue Laval.

Ce fut ce soir-là (ils venaient de vider une bouteille de vin argentin de Cafayate achetée treize dollars à la SAQ de la rue Saint-Denis) qu'il lui montra la photo couleur d'une bague de fiançailles couronnée d'un gros diamant qu'il aurait voulu, murmura-t-il, lui offrir le jour de leurs noces. *Mon pauvre Gabriel*, avait-elle grommelé entre ses dents, mais il ne l'entendit pas, car l'excès d'alcool l'assoupissait au point de le couper de la réalité.

Leur mariage eut lieu à Chelsea, en Outaouais, un village entouré de collines, au bord d'un fleuve gelé dans sa sève. *Un fleuve qui ne coule pas n'est plus un fleuve, c'est une patinoire à ciel ouvert*, dit le chauffeur du taxi qui le conduisait vers Ana Stein et son consentement inattendu. *Comment une femme aussi belle, intelligente et polyglotte, peut-elle*

se contenter d'un type comme moi ? se demanda-t-il mille et
une fois, de plus en plus persuadé qu'il vivait un rêve. La
voix du chauffeur paraissait sortir, elle aussi, d'un rêve :
Vous me dites de vous amener à l'église où vous attend votre
fiancée, monsieur, mais pouvez-vous m'en donner l'adresse, s'il
vous plaît ? Effaré, Gabriel s'aperçut qu'il ne l'avait pas avec
lui. L'avait-il d'ailleurs jamais écrite ? En réalité, tout s'était
passé verbalement au téléphone. Le nom, église du Dernier
Recours, n'avait été prononcé qu'à la toute dernière
minute. C'était comme si Ana avait voulu garder le lieu
secret jusqu'à la fin, ou était-ce sa manière de se réserver le
droit d'un ultime revirement ? Comment lui en vouloir ? À
sa place, il n'aurait certainement pas accepté d'épouser un
raté comme lui. Voilà peut-être pourquoi il n'avait pas
insisté pour qu'elle lui donnât l'adresse en bonne et due
forme. Maintenant, autant d'ailleurs se l'avouer tout de
suite, il avait peur qu'elle ne se repentît. Aussi accepta-t-il
sur-le-champ sa suggestion de n'inviter personne, excepté
le curé, bien entendu, et deux témoins sourds-muets
qu'elle était parvenue, semble-t-il, à dégoter dans un asile
de tarés profonds du côté de Hull. Débarrassée des détails
superflus, la cérémonie serait rapide et expéditive. Il ne fallait pas, en somme, qu'Ana se rendît compte de ce qu'elle
faisait. C'était drôle, mais le projet d'un *mariage express* lui
semblait plus réel et surtout davantage conforme à sa
situation. De même que la mort de son père, ses noces avec
Ana Stein devaient se passer en un clin d'œil. Un mariage
avec tous ses flonflons aurait donné prise à mille ater-
moiements, voire à un désistement de la part de la fiancée.
C'était le résultat qui comptait, un acte prouvant qu'ils
n'étaient plus un couple par intermittence. Vivre séparé
d'elle le déprimait. Être séparé ou ne pas être séparé, voilà
la dialectique élémentaire à laquelle se réduisait la vie de
Gabriel Olmos. Depuis qu'il était tout petit, le monde se

divisait entre ceux qui vivaient ensemble et ceux qui étaient seuls. C'était le discours tout craché de sa mère si encline aux formules binaires. *Qu'est-ce qui me fait croire que mener une vie de couple serait une solution à mes problèmes ?* se demanda-t-il dans un sursaut de lucidité dont il ne se croyait plus capable. *Qu'est-ce qui me fait croire que, lorsqu'on a raté le premier train, c'est le mariage qui amène la seconde locomotive ?* Or c'était dans un taxi qu'il se retrouvait à présent, et le chauffeur réclamait l'adresse exacte pour le déposer au pied de l'autel où l'attendait Ana Stein.

— Elle m'a dit que le mariage aurait lieu à l'église du Dernier Recours, finit-il par indiquer au chauffeur, feignant de fouiller dans les poches de son smoking loué à la journée.

Quelle idée de me mettre en smoking pour me marier ! Il faut décidément que je sois siphonné pour en arriver là, réfléchit-il en silence.

— On va la trouver, ne vous en faites pas. Les églises se voient de loin, commenta le chauffeur de taxi qui n'avait pas l'air très convaincu de ce qu'il disait.

Il parlait français avec un accent pied-noir, guttural, âpre, la bouche pleine de sable et de soleil. Soixante ans ? Une voix pâteuse et un profil de boucanier ayant trop perdu. Que faisait-il derrière le volant d'une Chrysler PT Cruiser noire dont le dessin rétro rappelait celui d'un corbillard ? Au bout de quelques détours, il se retrouva au milieu d'une rue déserte qu'on aurait dite sortie d'un western-spaghetti de Sergio Leone. Le fiancé jeta un coup d'œil sur le compteur. En apercevant ses sourcils froncés, le chauffeur s'arrêta net. Il regarda des deux côtés de la rue : un salon funéraire, Le Bon Repos, faisant face à un café, Le Bon Vivant.

— Il va falloir qu'on demande. Ici, les gens n'aiment pas ceux qui viennent avec une plaque d'immatriculation de l'Ontario, monsieur.

— Ne vous en faites pas, je descends, trancha le fiancé impatient de mettre un terme aux déambulations du taxi qui risquaient par ailleurs d'entamer une bonne partie du budget destiné au repas de noce.

Il se dirigea tout naturellement vers le café. Son attention fut immédiatement attirée par une pancarte placée sur la porte de l'établissement :

Quoi qu'on dise, quoi qu'on fasse
Il vaut mieux être ici

Mais ses intentions d'y entrer se heurtèrent à un deuxième écriteau plus petit portant en caractères noirs « Fermé pour cause d'enterrement ».

Alors, il n'eut d'autre solution que de s'adresser au salon funéraire. Là aussi l'attendait une affiche :

Quoi qu'on dise, quoi qu'on fasse
Ceux qui sont ici viennent d'en face

Il renonça sur le coup à en franchir le seuil afin de ne pas se rendre complice de l'humour noir du propriétaire.

— Alors ? s'enquit le chauffeur de taxi.

— On est tombés dans un quartier qui travaille en circuit fermé, marmonna-t-il, de mauvaise humeur, tout en consultant encore une fois sa montre.

Tu me le payeras cher, tu m'entends, tu me le payeras cher, susurra Ana Stein dans son oreille dès qu'il fut à ses côtés. Si les pierres avaient pu parler, elles auraient eu sa voix. En vain, il lui rappela qu'elle ne lui avait jamais donné l'adresse exacte de ce lieu délabré beaucoup plus proche d'un chantier en construction que d'une église. Le froid y était si présent qu'il comprenait qu'elle fût en rogne. C'est la première chose dont il se souvenait quand il pensait à leur mariage : la colère froide, rentrée, d'Ana Stein au pied de l'autel. Pour l'apaiser, il accusa le chauffeur de taxi d'avoir fait des détours inutiles afin de gonfler la facture. Outre son accueil glacial, ce fut la couleur gris métallisé de sa robe de mariée qui le laissa bouche bée. Elle s'était pourtant engagée à venir de blanc vêtue, et voilà que sa passion pour les voitures de luxe reprenait le dessus. *Pourquoi n'es-tu pas venue en blanc, comme tu me l'avais promis ?* osa-t-il réclamer à voix basse. *C'est que je ne suis plus vierge, couillon.* « Couillon ». Pourquoi « couillon » ? C'était son droit après tout de lui faire part de sa déception, et voilà qu'une première scène de ménage éclatait au pied de l'autel. Il crut déceler dans sa voix tout à coup méconnaissable une promesse de malheur lorsqu'elle ajouta : *Tu me le payeras cher, tu m'entends, tu me le payeras cher, Gabriel-qui-n'était-pas-là.*

C'était un jour de nuages bas qui gommaient les clochers des églises, il se le rappellerait toujours. À force de faire le tour de tous les clochers de Chelsea, le chauffeur avait fini par trouver le lieu de ses noces avec Ana Stein. À vrai dire, il ne s'était pressé que quand le fiancé l'avait prévenu qu'il avait bu beaucoup de café avant d'enfiler le smoking. Entre la nervosité due aux circonstances de l'événement, le compteur qui n'arrêtait pas de tourner, l'église qui n'apparaissait pas et le retard qui s'accroissait, l'envie de soulager sa vessie devenait en effet pressante : *Ou vous stoppez illico, ou je ne donne pas cher du tapis de votre voiture,* avait-il finalement averti. La Chrysler PT Cruiser noire avec plaque d'immatriculation de l'Ontario freina brusquement. *Regardez, juste en face, vous avez une bâtisse religieuse qui a l'air abandonnée,* annonça le chauffeur de taxi heureux d'avoir déniché un immeuble désaffecté qui tombait pile. Dès que le fiancé eut franchi le seuil de la porte, ses yeux rencontrèrent ceux du curé, puis le regard furibond d'Ana Stein se retournant habillée en gris de la tête aux pieds, avec un bouquet de roses rouges à la hauteur du ventre. D'où venaient ces fleurs dont la couleur trop vive exacerbait le malaise provoqué par son retard ? Il baissa les yeux. Le curé Ramón Alcántara (était-ce lui qui lui avait fait cadeau de ces roses-là ?) et la jeune femme durent s'apercevoir qu'il entrait de mauvaise foi dans l'église. Pas à pas, il comprit que seul un miracle lui permettrait de découvrir un urinoir sur son chemin vers l'autel. Il se rendit compte de nouveau que le retard le rattrapait. Être en retard, c'est tomber mal, choir du mauvais côté, *meschoir*, méchant donc, comme d'habitude. Méchant fils, méchant homme, méchant époux. L'imminence du mariage, loin d'avoir changé sa vraie nature, révélait les nœuds qui l'empêchaient d'aller de l'avant. Il observa l'autel, froid et dépourvu de vitraux. Il eut l'impression très nette que cet autel venait d'être improvisé pour l'occasion.

— Où sont-ils, les témoins ? demanda-t-il, pris d'une bouffée d'angoisse.

Sa voix résonna dans le vide qui s'étalait partout. L'absence de témoins le jour du mariage réduisait à néant sa demande de reconnaissance. Qui pourrait dès lors se porter garant de ce qu'il était en train de vivre ? Bien que ce décor fût en trompe-l'œil, il fit pourtant semblant d'y adhérer comme une plante dont le pot n'ayant plus de terre s'y cramponne faute de mieux.

— Ils sont partis. Ils devaient regagner l'asile avant midi. Il n'y a pas d'autobus qui passe par ici. Ils ont dû repartir à pied, expliqua le curé.

— Qui va signer le registre alors ?

Une inquiétude absurde, stupide, s'empara de lui, rendant son besoin d'uriner d'autant plus urgent.

— On se passera de signature. Tu es arrivé trop tard, mon fils, tu n'as qu'à t'en prendre à toi, dit le curé sur un ton acrimonieux.

— Je ne suis pas votre fils, protesta l'incriminé.

Le regard hargneux du représentant de l'Église écrasait tout ce qui n'était pas lui-même. Prétendait-il le punir justement le jour de ses épousailles avec Ana Stein ?

— Nous sommes tous des enfants du Seigneur, fit-il, rongeant son frein.

— Là, j'ai quelques doutes, je crains fort que Dieu soit probablement le Seul avec Qui maman n'ait jamais couché, précisa le nouvel arrivé.

Pendant quelques secondes, Gabriel eut le sentiment que le curé passerait l'éponge sur son impertinence, mais Ramón Alcántara ne faisait que reprendre haleine pour mieux acérer sa réplique :

— N'approche pas le Seigneur avec une haleine de porc le jour de ton mariage ! tonna l'homme d'Église.

— N'écoutez pas ce qu'il raconte, mon père, quand il est en retard, il peut dire n'importe quoi, intervint Ana en venant en quelque sorte à la rescousse de Gabriel.

Ensuite, elle somma le curé d'une voix qui n'admettait pas de réplique :

— Faites votre travail, mon père, on n'a plus de temps à perdre.

Aucun crucifix n'ornait les murs. L'autel n'était qu'une nappe blanche effaçant tout signe religieux.

— Mettez-vous à genoux. Le moment est donc venu de placer le joug là où il blesse, ordonna l'interpellé.

Ana Stein, la tête penchée vers le sol, plia le genou, tandis que le fiancé resta debout, craignant peut-être de ne plus pouvoir contenir les débordements de sa vessie au cas où il s'agenouillerait.

— J'ai dit « à genoux » ! exhorta le prêtre.

Il s'apprêta, comme un ramponneau, à tout braver pourvu qu'il n'ait pas à plier.

— Si tu ne te mets pas à genoux, il n'y aura pas de mariage, menaça le curé, le visage congestionné de colère.

— Où est-il, le Christ? s'écria tout à coup le fiancé, le regard fébrile et les mâchoires contractées.

L'écho de sa voix se propageant dans l'église vide le remplit d'effroi.

— Si tu ne Le vois pas, c'est parce que tu es aveugle, mon fils, sermonna Alcántara.

— Mon père, je vous en prie, mariez-nous tout de suite, et qu'on en finisse une fois pour toutes. On comprend pourquoi Hydro-Québec vous a coupé le chauffage: vous déblatérez au lieu de faire votre travail.

Le curé fit la grimace, mais il n'arrêta pas la cérémonie. La veille ou l'avant-veille. Gabriel ne s'en souvient plus. N'ayant pas eu de témoins, le mariage se déroula comme dans un rêve.

7

Un matin plus froid que les autres, les paupières encore lourdes de sommeil, il proposa à Ana de passer leur lune de miel à Paris. Elle crut qu'il se payait sa tête mais, devant son obstination de rêveur invétéré, elle lui demanda jusqu'à quand il allait vivre en marge de la *réalité réelle*. Ana Stein, c'était clair maintenant, le voyait comme s'il avait confondu la vie avec une salle de cinéma. Pour elle, son existence n'était que virtuelle, une sorte d'hologramme projeté par la conscience éteinte d'un père lointain. Tout comme certaines étoiles dont la lumière persiste après leur extinction, la voix du Consul parasitait la conscience de Gabriel. Le nouveau marié faisait beaucoup d'efforts afin de montrer à Ana Stein qu'il avait une existence propre. Voulant prouver à la jeune femme qu'il était bel et bien un sujet affranchi et branché, il lui apprit qu'une nouvelle compagnie de vols nolisés offrait des billets à moitié prix aux voyageurs acceptant de faire le trajet assis sur les genoux de leur partenaire. *Deux pour un* était la publicité qu'il prétendait avoir lue dans *The Ottawa Citizen*. Il s'empressa d'ajouter que, du même coup, on devenait membre du cercle restreint du Mile High Club dont les participants avaient le privilège de faire l'amour en plein vol. À cette proposition haute en couleur, elle se renfrogna. Ana Stein ne rigolait pas le matin, surtout l'hiver lorsque le

ciel était bas et qu'un froid polaire vidait les trottoirs.
C'était un samedi de grasse matinée avec, fait exception-
nel, des croissants au lit. Ana, une fois n'est pas coutume,
les avait apportés sur un plateau en bois. Elle était allée les
acheter dans une boulangerie française qui venait d'ouvrir
à l'angle de Rideau et King Edward. Aussi avait-elle pris
soin de les réchauffer au micro-ondes alors qu'il dormait.
Ce fut d'ailleurs la sonnerie du four dans la cuisine qui le
réveilla.

— Ça fait combien de temps qu'on est mariés?
demanda-t-elle avec un brin de provocation dans la voix
après qu'il eut révélé son projet farfelu.

Gabriel n'en avait pas la moindre idée. Compter les
jours à partir de la date de leur mariage était une activité
d'apothicaire qui dépassait ses capacités, surtout à l'heure
de se lever. Dans son esprit où tout finissait par s'amal-
gamer, le temps n'était surtout pas comptable. Quelle était
la mesure du temps, au cas où celui-ci en posséderait une?
Tandis que les horloges le découpaient en minuscules
tranches d'espace, et en fonction d'un arbitraire tout extérieur, nos émotions ne prenaient en charge que de pures
sensations. La logique obscure, souvent insaisissable des
rêves, dilatait et contractait le temps à sa guise. Dans quel
moule couler le temps pour mieux le disséquer? *Ça fait
combien de temps qu'on est mariés?* À quoi bon répondre à la
question, puisque l'âge de leurs noces n'était qu'une
étiquette fausse comme toutes les étiquettes qui cherchent
à masquer le phénomène dans sa spécificité pure et simple.
À présent, il ne mesurait le temps qu'à l'aune d'Ana Stein,
un patchwork sans queue ni tête, un tissu composé
d'intensités cousues les unes aux autres par des voix dont
il n'avait pas la maîtrise.

— Pourquoi tu me demandes ça, Ana? l'interrogea-t-il,
méfiant.

Elle prit tout son temps avant de répliquer. Ses grands yeux noirs avaient une expression de défi qu'il avait du mal à comprendre.

— Tu oublies que j'ai un bracelet électronique attaché à la cheville, dit-elle au bout d'un silence qui parut interminable au jeune homme.

— Si tu veux, on peut t'en débarrasser, Ana, s'empressa-t-il de suggérer avec douceur.

— Qui ça, « on » ?

— Toribio Schmidt, mon voisin de palier au *bed-and-breakfast*. Grand, blond, cruel, annonça-t-il avec l'emphase soudaine d'un bonimenteur de foire.

— Cruel ?

— Il voyage avec une caméra à l'épaule en quête des malheurs les plus retentissants. Il est venu interviewer une femme qui a châtré un type à belles dents. Il paraît que ça s'est passé à Westmount. D'après lui, ça prouve que les riches peuvent aussi attraper la rage. Il m'a montré la nouvelle publiée dans le *New York Times* la semaine dernière :

Canadian woman bites off
man's testicles

— Pourquoi les nouvelles qui intéressent les hommes doivent-elles toujours être violentes ? demanda-t-elle avec une expression de dégoût.

Encouragé par son écoute, il reprit de plus belle :

— Toribio a recours à plusieurs moyens. Je venais tout juste d'arriver au *bed-and-breakfast* quand il a débarqué avec tout un arsenal d'instruments. Il est venu en quatre-quatre de New York.

— Tu lui as parlé de moi ?

Il crut déceler de l'inquiétude dans la voix d'Ana.

— Tu sais que tu es mon seul sujet de conversation, dit-il avec humour.

— Qui t'en a donné le droit ? protesta-t-elle, se laissant soudainement emporter par une colère froide qu'elle contrôlait à merveille.

— Je veux qu'on puisse voyager ensemble, Ana. Tant que tu auras ce boulet à la cheville, on sera coincés comme des rats.

Méfiante, elle se rebiffa comme si on voulait l'attaquer. Alors Ana Stein abandonna le lit qu'elle avait regagné à la demande expresse de Gabriel. Habituée à dormir quatre ou cinq heures par jour, elle n'accordait pas beaucoup d'importance au repos. La date fixée par la maîtresse de maison pour qu'il emménage chez elle pour de bon approchait à grands pas et, pour la première fois, il en éprouvait quelques appréhensions.

— Quand est-ce que tu l'emmènes ici ?

— Qui ?

— Ton serrurier cruel, dit-elle, moqueuse.

Ce changement brusque de son humeur laissa Gabriel perplexe.

Assis sur le lit défait, il l'observa en silence.

Toribio Schmidt fit sonner le timbre à l'heure dite, ni une minute avant ni une minute après. Son entrée dans le salon fut précédée d'un bruit de bottes sur le palier.

— Les gens qui me connaissent m'appellent Toribio Pile, tellement je suis ponctuel, dit-il comme s'il tenait à prévenir ses hôtes tout de suite d'un défaut de sa personnalité.

— On ne s'excuse que quand on est en retard, commenta Ana en jetant un coup d'œil à l'adresse de Gabriel.

Le grain mordant de sa voix indiquait qu'elle ferait probablement tout pour que la soirée ne manque pas d'animation.

L'invité portait un costume noir et une cravate rouge. Il avait le regard bleu acéré des libertins. On voyait bien que c'était un faux timide. Le genre de gars qui écrase les autres tout en ayant l'air d'en demander pardon. Une de ces locomotives humaines que rien ne fait dérailler. Un grand gaillard, six pieds quatre pouces, au moins. Un sourire à peine esquissé aux lèvres. Tout semblait maîtrisé chez lui, y compris cette «cruauté» qu'on était en droit d'attendre d'un homme qui gagnait sa vie en fouillant dans la misère des autres. *Le rouge et le noir*, le titre du roman de Stendhal vint tout naturellement à l'esprit de Gabriel, mais il ne sut qu'en faire. À vrai dire, il n'imaginait pas Toribio Schmidt tenant un roman du XIXe siècle entre ses mains. Tout chez lui respirait le présent. Sûr que, pour lui, regret et mélancolie ne faisaient pas partie de son vocabulaire. Pas l'ombre d'une hésitation sur son visage non plus. Aussi était-il certainement imperméable à la peur. *Bref, était-il surhumain ou avait-il, comme tout le monde, une fêlure secrète ?* se demanda Gabriel, incapable de s'arracher à une sorte de fascination que l'étranger exerçait sur lui. Ana Stein réserva un accueil plutôt froid au visiteur dès qu'il franchit le seuil de sa porte. On aurait dit qu'elle n'attendait que ça pour que les traits de son visage se crispent, avant même que Toribio eût pu se présenter. Assise au milieu du salon, son regard scrutait l'étranger avec méfiance. Mais cela ne diminuait en rien la séduction qu'elle dégageait. On aurait dit que ce corps-là était trop parfait pour n'être caressé par les mains que d'un seul homme. Ayant écarté le gris pour une fois, Ana Stein avait confié au bleu le plus velouté le soin de mettre en valeur sa cheville prise en otage. *Puisque c'est ça qu'il est venu chercher, c'est ça qu'il verra*, semblait dire son corps.

En maître de maison improvisé, Gabriel proposa du whisky pour commencer la soirée. S'adressant d'abord au visiteur, politesse oblige, il lui donna à choisir entre un Chivas Regal et un Glenfiddich Ancient Reserve. Immédiatement, Toribio Schmidt pencha pour le deuxième, sans glaçon, bien entendu. Le «bien entendu» venait de ses lèvres, comme s'il subodorait que les connaissances du nouveau marié en la matière étaient plutôt limitées et qu'il fallait empêcher qu'il n'abîme l'équilibre délicat de plusieurs années de macération du whisky. S'il avait du reste eu la curiosité de jeter un coup d'œil sur l'étiquette mordorée enveloppant la bouteille, il aurait compris que dix-huit ans de vieillissement en *Oloroso sherry* conféraient au Glenfiddich *an elegant nose*, comme disent les connaisseurs, qu'on devait préserver.

— On voit de loin que vous n'êtes pas de ceux qui donnent la main à un aveugle pour l'aider à traverser la rue, lâcha Ana sur le ton frivole de quelqu'un débitant une banalité.

L'étranger détourna son regard de la bouteille de Glenfiddich Ancient Reserve pour fixer longuement la jeune femme. C'était exactement le même regard qu'il avait posé sur le whisky.

— Il faut pousser ceux qui trébuchent. C'est la seule manière de maintenir la circulation fluide, ne croyez-vous pas?

La voix calme du visiteur traînait un léger accent allemand. Sa réplique fit tiquer Gabriel, mais il préféra concentrer son attention sur le précieux liquide dont il avait la responsabilité. Sa seule préoccupation pour l'instant, c'était de trouver la dose juste qu'il fallait verser dans le verre de l'invité. Ça pouvait sembler idiot, mais il avait tout le mal du monde à la calculer. S'il en servait trop, Toribio Schmidt allait certainement penser qu'il n'était qu'un ignare, et si la quantité était trop chiche, il allait se dire qu'en plus d'ignare il était radin.

— Tu vois, Gabriel, que ton ami ne va pas contribuer aux œuvres pieuses de la paroisse de notre quartier ?

Malgré l'interpellation teintée de sarcasme d'Ana, l'étranger resta bouche cousue. Très vite, Gabriel comprit pourtant que le dialogue se passerait entre eux. Tenant la bouteille de Glenfiddich de la main droite, il s'appliqua à remplir les verres.

Toribio Schmidt, toujours imperturbable, accentua à peine son sourire.

— D'où êtes-vous ? s'informa la maîtresse de maison à l'improviste.

— D'où je suis ? Ça faisait longtemps qu'on ne m'avait pas posé cette question d'une façon aussi polie, réfléchit le visiteur à haute voix, les yeux braqués sur Ana Stein.

— Vous venez bien de quelque part, n'est-ce pas ? insista la jeune femme.

— Je ne sais pas. Je viens d'un pays qui n'existe pas. C'est vrai, je ne blague pas. Un pays fantôme comme un de ces bateaux qui, ayant perdu leur équipage, naviguent à la dérive.

— Pour une épave, vous êtes drôlement bien habillé, ironisa-t-elle avec un ton espiègle.

— Le nom de mon pays, si je peux l'appeler ainsi, ne vous dirait sans doute rien, à quoi bon alors ? De toute façon, un bout de terre dans un coin perdu de la planète, ça ne donne pas une identité.

— Quand on perd de vue d'où l'on est, le lieu où l'on va s'efface également, souligna Ana avec le ton faussement sévère d'une maîtresse d'école en train de faire la leçon à un cancre.

— Et où est-ce que vous allez, vous, si vous me permettez de vous renvoyer la question ? l'interrogea-t-il à son tour sans se gêner pour regarder le bracelet électronique sur la cheville de la jeune femme.

— Je vais où je suis, fit-elle, prenant une gorgée du verre de whisky que Gabriel venait de lui servir.

— Moi, je vais là où les gens cessent d'être ce qu'ils croyaient être. Voilà. Mon boulot, c'est de découvrir des drames humains qui sortent de l'ordinaire. Pour les trois quarts de l'humanité, le monde est un roman noir. Nos lecteurs blasés d'aujourd'hui le savent et ils s'en fichent comme de l'an trois mille. Ce sont les passages les plus inattendus qui vont réveiller leur attention. Dès que j'aurai terminé mon reportage ici, j'irai en Argentine où m'attend un fils ayant reçu une esclave séropositive en héritage de la part de son père. Ce tout petit détail ne lui a été révélé qu'après qu'il eut couché avec elle. Héritage ou vengeance posthume? C'est au lecteur de décider, je me limite à informer.

Ana Stein sourit à peine. Puis sa voix grave, émoustillée probablement par le Glenfiddich Ancient Reserve, n'hésita pas à emprunter un ton ouvertement persifleur:

— Seriez-vous une espèce de journaliste à la solde du Vatican soucieux de montrer les méfaits du Diable?

— Le pire ne m'intéresse que dans la mesure où il est piquant.

— Cette vocation pour le pire, peut-on savoir d'où elle vient?

— Je suis né dans une ferme du Chaco, au Paraguay. Ça ne vous dit rien, n'est-ce pas, le Chaco? C'est bien ce que je pensais. Une fournaise au milieu d'un désert, voilà. J'y ai grandi entouré de femmes parlant allemand et guarani, le dialecte local. De cette terre aride, je garde le souvenir du soleil qui faisait fondre mes petits soldats de plomb dans la cour. Un père plus intéressé à augmenter la production laitière de ses vaches qu'à développer le quotient intellectuel de ses enfants m'a chassé de la maison familiale à dix-huit ans révolus.

— Et le pire là-dedans ?

Après une pause, Toribio Schmidt dit sur un ton froid, sans appel :

— Le pire, c'est le père.

— C'est pour parler de votre père, je veux dire du « pire », comme vous dites, que vous vous êtes donné la peine de venir chez moi ? demanda-t-elle.

Le regard d'Ana Stein pétillait de malice. Vue avec les yeux du visiteur, sa beauté n'était que plus provocatrice.

— Je suis venu ici parce que Gabriel, ici présent, m'a dit que vous aviez un bijou dont vous aimeriez vous débarrasser, répondit-il de sa voix calme.

— Et qui vous fait croire que vous êtes l'homme de la situation ?

— Mes mains vous donneront la réponse.

Conscient qu'il lui fallait sur-le-champ dire quelque chose pour avoir voix au chapitre, Gabriel leva son verre en balbutiant un toast :

— Aux mains de Toribio Schmidt, l'enfant du pire.

En un tournemain, Toribio Schmidt avait détaché le bracelet électronique de la cheville de la nouvelle mariée. La célérité et le professionnalisme avec lesquels il s'était acquitté de sa tâche renforcèrent l'admiration de Gabriel à son égard. Afin de fêter la liberté recouvrée d'Ana Stein, Toribio — dans un geste de générosité qui laissa perplexe son voisin de palier au *bed-and-breakfast* — invita le couple à passer une fin de semaine à Buffalo. Tirant profit de l'effet de surprise provoqué par sa proposition inattendue, il ajouta que le voyage leur tiendrait lieu, par la même occasion, de lune de miel.

— Histoire de tuer deux pigeons d'une seule pierre, glosa-t-il, clignant de l'œil tout en gardant son maintien imperturbable.

Ana n'y formulant aucune objection, Gabriel eut le sentiment étrange que l'initiative du chroniqueur ne la prenait pas au dépourvu.

Un samedi matin froid et ensoleillé, Toribio vint les prendre au volant de sa Range Rover noire. C'était la première fois que Gabriel posait ses fesses sur des sièges en cuir Windsor. Le réglage électronique du dossier et de l'appui-tête offrait dix combinaisons possibles. Dix-sept haut-parleurs savamment distribués dans l'habitacle assuraient une fidélité de son parfaite. Ce véhicule, véritable *permanent all-wheel-drive* de la technologie Land Rover, ne laissa pas Ana indifférente.

— Pour un V-8 à 90 degrés, j'avoue qu'il ronronne comme un lion qui aurait pris du Ritalin, s'exclama-t-elle sans pouvoir cacher son intérêt pour la bête vrombissant sous le capot.

— Attendez qu'on soit sur l'autoroute, enchaîna Toribio.

— Trois cent quatre-vingt-deux chevaux à cinq mille quatre cents révolutions par minute, il faut avoir les reins bien accrochés, poursuivit-elle en jetant un coup d'œil circulaire sur l'habitacle.

— Vous êtes la première femme qui sait parler en connaissance de cause de mon très humble parapluie à quatre roues motrices, dit le propriétaire d'une voix où l'on trouvait plusieurs registres, excepté celui de la modestie.

— Je suis au courant de tous ces détails parce que l'ambassade vient d'en acheter un, histoire de donner un petit coup de pouce à la ruine finale de l'Argentine, expliqua Ana.

En les observant, Gabriel pensa qu'ils allaient très bien ensemble. Voilà l'homme qu'il fallait à Ana Stein : beau, riche, intrépide et motorisé jusqu'aux dents. Puisqu'il n'était pas dans la nature du jeune marié d'être jaloux, il mesura avec lucidité la distance le séparant de quelqu'un comme Toribio Schmidt. Dépourvu des connaissances techniques nécessaires pour être assis à ses côtés, il avait cédé spontanément sa place à Ana. La volubilité et la bonne humeur qu'elle affichait accentuèrent son impression d'être de trop à leurs côtés. Leur conversation reprit dans l'effervescence d'une passion commune. Ils se gargarisaient de puissance moteur et de distribution électronique de la force de freinage. Aussi parla-t-il du différentiel arrière autobloquant de type visqueux, tandis qu'elle mettait l'accent sur la distribution variable du couple. La joie qu'ils éprouvaient à passer en revue leurs savoirs respectifs laissait des traces dans leurs voix chauffées à bloc dès que la Range Rover emprunta l'autoroute. Gabriel profita des excès de vitesse pour songer à son avenir toujours au point mort. Il vivait avec une femme dont il attendait le salut, et voilà qu'un troisième larron faisait soudain son apparition comme pour lui rappeler qu'il y avait beaucoup mieux que lui. Et surtout plus rapide. Un escargot aurait ressenti moins de honte que lui. *Et l'amour là-dedans ? Est-ce aimer quelqu'un que de lui imposer les faiblesses et les lenteurs de corps et d'esprit qui nous accablent ?* se demanda-t-il. S'il y avait quelqu'un susceptible d'aider Ana Stein à poursuivre sa démarche fébrile et passionnée, c'était bien cet homme surgi comme un chevalier de l'apocalypse. Le hasard (était-ce vraiment le hasard ?) qui l'avait rapproché d'elle mettait tout à coup les choses à leur place. Leur mariage s'y révélait par ailleurs comme un pur simulacre, une illusion, peut-être un rêve qu'ils auraient fait en même temps. Sur le siège arrière de la Range Rover noire avec plaque d'immatriculation de l'État de New York, Gabriel réfléchissait à ce que serait sa vie avec une femme qui valait plus que lui. Sa beauté tout d'abord. De plus en plus, le visage d'Uma Thurman lui revenait en mémoire.

La muse de Quentin Tarantino représentait parfaitement Ana Stein dans le rêve qu'il projetait dans sa petite tête comme un film. Qui ne portait pas une *Pulp Fiction* bien cachée dans les plis de son être? C'était ça aussi, l'amour, pour lui: la femme n'existait que dans un scénario où on lisait en toutes lettres le mot *end*. Soit parce qu'elle est condamnée, soit parce qu'elle condamne. Puis voilà que Toribio Schmidt sortit une cigarette d'un étui en or dont l'ouverture laissa entendre le célèbre *Adagio* d'Albinoni.

— Des cigarettes musicales? Cadeau de la maison Land Rover pour mieux faire avaler la pilule au moment de passer à la caisse? s'informa Ana, fort amusée par le gadget.

L'humour espiègle de la jeune femme prit Gabriel au dépourvu. Jamais il ne l'avait vue aussi gaie. Son changement d'attitude à l'égard de Toribio Schmidt l'étonnait également. Était-ce sa manière de le remercier de l'avoir libérée du bracelet électronique?

— Le tabac n'est jamais musical, il est simplement fatal. J'aime la nicotine parce qu'elle élimine tout ce qui a du mal à respirer sur terre, précisa le conducteur de sa voix calme dont l'accent germanique cassait les inflexions.

La réflexion de Toribio mit mal à l'aise Gabriel. Ensuite la vitesse, dure elle aussi, comme si on cognait contre le vent. Le paysage s'effaça au profit d'un défilement flou de séquences de blocs de béton et d'espaces verts. La vitesse ressemblait à celle d'un film dont on ne contrôle plus le déroulement. Décidément, elle n'était pas le fort de Gabriel, lui qui avait consacré sa vie à se précipiter dans la lenteur.

Le chauffeur de la Range Rover noire ayant tous ses papiers en règle, le passage de la frontière avec les États-Unis ne posa aucun problème. Lors de la vérification des passeports, rien d'anormal ne fut remarqué. L'anglais irréprochable de Toribio Schmidt expliquait sans doute pourquoi le douanier lui donna le feu vert tout de suite. Blond aux yeux bleus, au parfum de tous les mots de passe de ce monde, changer de pays n'était qu'un jeu d'enfant pour lui. Gabriel respira, soulagé de constater qu'Ana Stein, quant à elle, pouvait également traverser la frontière en toute liberté sans être inquiétée. Même si aucune accusation n'avait été portée contre elle, il n'en demeurait pas moins que la GRC avait jugé nécessaire de lui coller un bracelet électronique. Alors pourquoi les douaniers américains n'étaient-ils pas au courant? Et d'ailleurs, comment pouvait-on affubler quelqu'un d'un boulet semblable sans qu'il y ait eu consentement de la Cour? Du coup, il se demanda si l'histoire du bracelet électronique venait de la GRC ou d'une fabulation pour le moins bizarre de la jeune femme. Et si c'était elle-même qui l'avait accroché à sa cheville pour des raisons qu'il avait du mal à comprendre? Cela expliquerait la facilité avec laquelle Toribio Schmidt l'en avait débarrassée. Par ailleurs, quel sens accorder au sourire amusé que Gabriel avait surpris sur les lèvres du reporter aussitôt qu'il était entré en contact avec l'objet? Tout s'était passé comme s'il avait eu affaire à une scène truquée que, par une sorte de complicité tacite, il se devait de respecter. Gabriel se jura d'en avoir le cœur net dès qu'il serait de retour à Montréal. Mais comment faire son enquête sans soulever des soupçons autant chez les flics que chez Ana? Il se sentait piégé. Encore une fois, l'image du corps svelte d'Ana Stein et les intensités qu'il évoquait en lui vinrent le sortir du cul-de-sac où il se trouvait.

La Range Rover se remit à avaler des kilomètres à vive allure. De temps en temps, le signal sonore d'un détecteur de radar installé dans la cabine alertait le conducteur de la proximité d'un patrouilleur embusqué au détour d'une courbe. Tout en ralentissant, Toribio en profitait pour informer Ana des nouvelles technologies qui assuraient aux automobilistes une protection accrue contre l'*État policier*, selon ses propres mots.

Il faisait déjà nuit quand ils arrivèrent à Buffalo. Heureusement, car la ville, au dire de Toribio Schmidt, était aussi jolie que des vécés désaffectés au bord d'une autoroute.

— L'arrivée massive des Noirs, entassés dans des immeubles délabrés du centre-ville, n'a fait qu'accélérer le déclin de Buffalo, fit-il remarquer en guise de conclusion.

La traversée de la ville ne fut qu'une illustration de ces propos désenchantés.

— Buffalo *by night* est une vraie merde, renchérit Ana Stein en syntonie avec Toribio.

L'hôtel, à l'autre bout de la ville, avait plus de lumières qu'une piste d'atterrissage. Quelque chose de proprement lunaire se dégageait de ses murs. Alors Gabriel constata que l'expression consacrée «lune de miel» lui collait comme un gant.

— Où est-ce qu'on est? demanda-t-il d'une voix faussement inquiète comme s'il appréhendait d'être arrivé dans un studio d'Hollywood planté au beau milieu d'un immense dépotoir.

Toribio grommela le nom du lieu suffisamment vite pour que personne ne le retienne. La fatigue et le désir de quitter dès que possible le quatre-quatre l'emportèrent sur la curiosité de Gabriel. Bouche bée, celui-ci découvrit le hall rutilant et clinquant d'un hôtel de luxe à l'américaine. L'eau viendrait après, apprivoisée dans des fontaines et des gargouilles d'un goût suspect. Quelques touches ici et là d'architecture rappelant vaguement l'Alhambra de Grenade donnaient à l'ensemble un style hispano-mauresque d'une discordance insurmontable. Toribio devait rencontrer quelqu'un avant le repas du soir. Un rendez-vous fut fixé à vingt heures dans le restaurant de l'hôtel, mais il ne vint pas. Ana et Gabriel étaient sur le point de quitter les lieux lorsqu'une serveuse noire aux cheveux teintés de henné se présenta avec un sans-fil à la main.

— Gabriel Olmos ? demanda-t-elle d'une voix de rogomme à couper le souffle.

L'apostrophé esquissa un oui de la tête.

Les lèvres de la serveuse étaient humides et pulpeuses.

— Un appel pour vous, annonça-t-elle.

Alors il entendit la voix calme et froide de Toribio Schmidt s'excusant de ne pouvoir se joindre à eux pour le souper. Cela ne devait d'ailleurs pas gâcher leur soirée gastronomique. Aussi conseilla-t-il d'arroser le tout avec du champagne, *rien de mieux pour célébrer les contrats (le mariage en est un, surtout ne l'oublie pas), demande qu'on vous apporte le Veuve Noiret, et ne t'inquiète pas pour la note.* La marque semblant trop lugubre à Gabriel pour un champagne, il se renseigna auprès de la serveuse pour vérifier si c'était l'autre qui payait.

— Vous êtes les invités de M. Schmidt, vous pouvez demander ce que vous voulez, confirma-t-elle.

Trois jours s'écoulèrent sans qu'ils eussent des nouvelles de leur «mécène», mot employé par Ana Stein avec sarcasme lors de leur premier repas en tête-à-tête dans le restaurant de l'hôtel. L'existence d'un mécène donnait par ailleurs à leur lune de miel un parfum d'œuvre d'art qui ne déplaisait pas au Sud-Américain. Au début, l'éclipse subite de Toribio Schmidt le remplit d'aise. L'hôtel était fort confortable et, excepté le bon goût, rien n'y manquait. Entre la piscine chauffée, les fauteuils flottant comme des nénuphars de caoutchouc à la surface, les saunas finlandais et le jacuzzi dans la chambre à coucher, les matinées avec Ana s'écoulaient dans un dépaysement sans soubresauts. L'omniprésence de l'eau polissait les angles en quelque sorte et tout devenait plus facile. Pourtant, en ce moment de loisir, pour la première fois, il prit conscience que le bracelet était à l'origine de l'invitation de Toribio. Sans ce mouchard électronique, il ne serait probablement jamais entré dans leurs vies. Il préféra remettre à plus tard une réflexion approfondie sur la question. Il se dit qu'il fallait vivre au présent et s'associer à la détente qui gagnait le corps de la jeune femme. Or voilà qu'une inquiétude se mit à grignoter sournoisement ces instants de bonheur. Soudain, la générosité de Toribio à leur endroit parut louche, voire dangereuse à Gabriel. Et si Ana et lui étaient le sujet de la nouvelle chronique de ce chasseur de malheurs exotiques? Il fallait convenir que, pour un guetteur de disgrâces de son acabit, le couple qu'il formait avec la jeune femme pouvait représenter un morceau de choix. L'épisode du bracelet électronique ayant attiré l'attention de Toribio, il menait peut-être sa propre enquête à l'heure actuelle. Ce nouveau rôle que Gabriel lui faisait jouer à son insu n'était pas forcément en contradiction avec le précédent. Tout en se montrant séducteur auprès d'Ana, il pouvait tout aussi bien précipiter sa chute. Son regard fixe de serpent, sa voix inaltérable en toute circonstance, le contrôle qu'il exerçait sur chacun de ses mots, l'économie exacte de chaque geste qu'il faisait, tout allait dans le sens d'un portrait n'augurant rien de bon pour l'avenir. Il regretta de l'avoir introduit chez elle. Aussi craignit-il qu'il ne fût réalisateur de *snuff movies* ou, pis encore, un flic déguisé en civil. Pour Gabriel, le corps d'Ana Stein ne pouvait être qu'objet de convoitise. Ce qu'il appelait sa beauté venait en partie du désir qu'il découvrait dans le regard des hommes qui, ici et là, se retournaient sur le passage de la jeune femme. Était-ce le côté félin de son allure ou ces habits gris métallisés qui moulaient son corps comme une voiture de course? Quoi de plus normal

qu'elle se cabrât à l'idée de céder à des regards aussi
intrusifs ? Paradoxalement, de tous les regards, c'était celui
du Consul qui le faisait souffrir et qui provoquait une sorte
d'exaltation à la fois. Sans savoir pourquoi, il sentait
qu'Ana, tout comme lui, avait dû subir l'excès de ce regard
que rien ne semblait apaiser. Tout à coup, un sentiment de
tendresse et de vulnérabilité s'empara de lui et il accourut
vers Ana Stein. La jeune femme était assise au bord de la
piscine, les pieds dans l'eau. À travers la baie vitrée, ses
yeux contemplaient le parc entourant l'hôtel. La neige
s'étalait partout. L'État de New York vivait l'une de ses
pires tempêtes hivernales, mais comme il était doux d'en
être témoin sans avoir à la subir ! Gabriel imita Ana et
s'assit à son tour au bord de la piscine à côté d'elle. Il aurait
voulu continuer à contempler en silence l'amoncellement
des flocons de neige sur les branches des arbres, mais il ne
put s'empêcher de parler :

— Ça ne te semble pas bizarre, l'absence de Toribio ?
s'informa-t-il d'une voix inquiète.

— De quoi as-tu peur maintenant, Gabriel ?

Ce fut surtout l'adverbe « maintenant » qui le heurta de
plein fouet. Lâche, il n'était qu'un lâche, voilà ce que ce
mot voulait dire dans la bouche de la jeune femme qu'il y
a quelques instants à peine il voyait comme une victime.
Or voilà qu'au lieu de se rebiffer et de la remettre verte-
ment à sa place, il assuma tacitement le rôle minable
qu'elle lui réservait :

— Pour ne rien te cacher, Ana, j'ai peur que nous ne
soyons les personnages de son prochain reportage.

Elle ne dit rien, comme si ses mots étaient inaudibles,
ou trop insignifiants pour être pris au sérieux.

Du coup, il perçut une sorte d'hostilité à son égard. Que
s'était-il passé ? Pourquoi ces revirements qui pouvaient
d'une seconde à l'autre rendre leurs échanges si précaires ?

Il reprit la parole :

— Tu crois que je délire ?

— Non.

— Alors, toi aussi, tu crains la même chose que moi ?

Elle le regarda tout en remuant vivement les pieds dans l'eau jusqu'à en éclabousser son visage.

— C'est fou ce que tu peux être naïf, Gabrielito ! s'exclama-t-elle.

Le diminutif espagnol qu'elle employait, « Gabrielito », recelait beaucoup plus de sarcasme que de tendresse, mais au moins elle le nommait. Il avait peur qu'Ana Stein oubliât son nom. C'était idiot mais, depuis le début, cette inquiétude le tourmentait. Le matin, quand ils prenaient du café ensemble, il redoutait qu'elle lui demandât l'air de rien : *excuse-moi, quel est ton prénom déjà ?*

— Voyons, Ana, si tu partages mes doutes, pourquoi ne pas me l'avoir dit plus tôt ?

Sa voix s'effilochant, il sentait que bientôt l'air lui manquerait pour arriver au bout de ses phrases.

— Je te rappelle que c'est toi qui l'as amené à la maison.

— Tu penses que j'ai eu tort ?

Ana demeura silencieuse.

Ses pieds s'agitaient sans cesse, comme si elle voulait débarrasser la piscine de son eau à force de la battre.

— Qu'est-ce qu'on fait ? demanda-t-il, à court d'arguments.

— Je crois que la seule manière de ne pas te tromper, c'est de ne rien faire, Gabriel.

— Pourquoi tu me dis ça, Ana ?

Sa voix un peu trop suppliante agaçait visiblement Ana Stein. Mais, comme il arrivait souvent chez elle, plutôt que de réagir avec agressivité, elle adopta le ton espiègle d'une enfant qui ignore ce qu'elle dit :

— Pourquoi vouloir connaître à tout prix le nom de l'auteur du roman policier dans lequel on est embarqués, toi et moi, Gabriel ? le questionna-t-elle à son tour.

Il baissa la tête. Les pieds d'Ana cessèrent de s'agiter dans l'eau.

Il avait beau se répéter qu'il fallait profiter au maximum de leur séjour à Buffalo, histoire de rentrer chez eux avec deux ou trois images dignes de figurer dans un album de lune de miel, Gabriel était préoccupé par l'absence de Toribio. Ce matin, au bord de la piscine, Ana — manifestement énervée (*pourquoi, Ana ?*) — avait voulu savoir si l'étranger (c'était comme ça qu'elle appelait Toribio Schmidt en son absence) s'était montré curieux à son égard. *Il m'a demandé pourquoi on t'avait mis un bracelet électronique à la cheville.* Aussitôt son énoncé prononcé, Gabriel s'en était mordu les lèvres. Il s'agissait d'un mensonge et il en avait honte. Elle ne réagit pas. Le regret du jeune homme n'en fut que plus grand. Puis, le prenant par surprise, Ana lui annonça de but en blanc qu'elle ne dînerait pas avec lui. *Va-t'en, j'ai besoin d'être seule,* lui lança-t-elle sans ménagement.

Vers midi, telle une âme en peine, il se rendit au restaurant de l'hôtel, bien que n'ayant pas faim. L'atmosphère animée de la salle à manger parvint à distraire quelque peu son esprit aux prises avec une vive inquiétude. Davantage intéressés par les visages des nombreux convives que par le menu du jour, ses yeux se mirent à vagabonder. Ce fut à ce moment-là qu'il les surprit, ensemble, en tête-à-tête, l'air de deux complices préparant leur prochain coup. Leur table était à l'extérieur de la salle à manger, dans un des multiples alvéoles entourant le grand foyer où crépitait le feu. D'habitude, les rideaux y étaient fermés mais, soit par inadvertance, soit parce qu'ils se fichaient pas mal des

regards indiscrets, leurs profils se distinguaient aisément.
Paradoxalement, la réapparition intempestive de Toribio
aux côtés d'Ana atténua ses inquiétudes. À la vue de ce
qu'il craignait, son corps se détendit. Sans très bien savoir
pourquoi, il songea à la mort. Fixer la mort sans frémir
n'apparaissait donc plus comme une entreprise insurmontable. Gabriel sentit que le jour où il apprendrait à l'apprivoiser tout en se laissant imprégner par le mélange de
nostalgie et de douceur qu'elle dégage, la vie reprendrait
sa place. Comme le *cempasúchitl*, la fleur des morts mexi-
caine, la vie ne s'épanouissait qu'au milieu d'un immense
charnier. D'un jaune charnu, aux pétales épais et coriaces,
le *cempasúchitl* avait toujours attiré le Consul lors de ses
voyages à Cuernavaca, ville qu'il chérissait depuis sa
lecture de *Under the Volcano* de Malcolm Lowry. La fête des
Morts dont le *cempasúchitl* était le symbole y dévoilait ses
liens avec le deuil et la mélancolie. Voilà ce que le conci-
liabule d'Ana et de Toribio à l'hôtel déclenchait chez
Gabriel : un torrent d'images contrastées, le souvenir d'un
père associé à une fleur qui prospérait dans les cimetières.
Le vrombissement de ses oreilles se fit plus intense. Pendant quelques instants, il faillit perdre l'équilibre et s'affaler comme un ivrogne au milieu des assiettes remplies de
cuisses de poulets et de fromages. Pourtant, il ne lâcha pas
prise. Obstinément, il gardait ses yeux braqués sur leurs
profils faits pour s'entendre comme deux larrons en foire.
À quoi pouvait bien servir une vie si elle ne l'aidait pas à
soutenir ce regard-là ?

Le retour fut encore plus rapide que l'aller. Toribio
Schmidt ne ralentissait que lorsque le détecteur de radar se
mettait à clignoter. Une dernière démarche au centre-ville
de Buffalo fit qu'il ne quitta l'hôtel qu'en fin d'après-midi.
Au moment où il rangeait les sacs et les valises dans le

coffre immense de la Range Rover, Gabriel aperçut un appareil photo monté sur un trépied télescopique. Intrigué, il voulut savoir une fois pour toutes s'il pratiquait le métier de ce qu'on appelle un «reporter-cameraman». *Ça ne veut rien dire, tu sais. Pourquoi veux-tu me coller une étiquette ? Est-ce que je te demande, moi, ce que tu es ? Je subodore d'ailleurs que si je le faisais, tu serais dans de beaux draps, ou est-ce que je me trompe ?* Gabriel acquiesça mollement d'un signe de tête sans insister davantage. À sa grande surprise, Ana préféra cette fois-ci s'asseoir sur la banquette arrière pendant le trajet. Prétextant une forte migraine, elle s'enferma dans un silence pour le moins suspect. Mais du fait soit de la fatigue, soit de la joie de retrouver enfin son camarade du *bed-and-breakfast*, il finit par l'oublier. Toribio, de son côté, se montra plutôt bavard, au point que la jeune femme, soucieuse de préserver son calme, lui demanda s'il n'était pas possible de lever la vitre qui isolait la cabine. On aurait dit qu'elle connaissait les ressources de la Range Rover mieux que le propriétaire lui-même. Loin de s'en offusquer, il s'exécuta un sourire aux lèvres, puis mit un CD avec l'air canaille de qui jouerait un mauvais tour à quelqu'un :

> *Les soirs où je suis Argentin*
> *Je m'offre quelques Argentines*
> *Quitte à cueillir dans les vitrines*
> *Des jolis quartiers d'Amsterdam*
> *Des lianes qui auraient ce teint de femme*
> *Qu'exportent vos cités latines*
> *Ces soirs-là je les veux félines*
> *Avec un rien de brillantine*
> *Collé au cheveu de la langue*
> *Elles seraient fraîches comme des mangues*
> *Et compenseraient leurs maladresses*
> *À coups de poitrine et de fesses*

C'était Brel qui chantait. Bel et bien Brel, le seul capable
de trouver le ton exact pour parler des femmes d'un pays
dont, faute d'y avoir mis les pieds, il croquait des portraits
lubriques. Un Brel dévergondé, un tantinet méconnaissable.
Sa voix d'écorché vif jaillissait des haut-parleurs comme
l'eau de pluie d'une gargouille alambiquée. Ce tango, que
Gabriel entendait pour la première fois, créa d'emblée une
complicité masculine dans l'habitacle de la Range Rover
roulant à vive allure. Comme dans un de ces vols de nuit
rapportés par Saint-Exupéry, sa conscience défaillante
s'associait à un moteur puissant afin de traverser le deuil
qui ne le quittait plus. Comme un convoi funèbre, l'exul-
tation du moteur à la sonorité fauve chauffait à blanc sa
ferveur pour le voyage. La femme n'étant plus que sujet de
chanson, la route — rien que la route — prenait dès lors le
dessus. *On the Road*, le roman de Kerouac, vint prêter main-
forte à l'image. Gabriel gardait du roman, dévoré pendant
son adolescence, une sorte de nostalgie qui lui tenait lieu de
représentation de l'espace américain. Bien calé sur le siège
en cuir Windsor du quatre-quatre, Gabriel laissa les
souvenirs remonter à la surface. Et voilà que le tête-à-tête
entre Ana et Toribio dont il avait été témoin le jour même
retrouvait sa juste place dans l'ordre des choses. Quoi de
plus normal qu'Ana Stein eût envie de faire un brin de
causette avec un homme qui parcourait le monde à la
recherche d'histoires extraordinaires ? Toribio était un
chasseur d'images exotiques, un aventurier prêt à courir
tous les risques, y compris sans doute ceux d'une passion
de passage. Ce n'était certainement pas avec lui, Gabriel,
qu'elle allait se dérider, Ana Stein, lui qui, en dehors du
ressentiment voué à son père, n'avait rien d'intéressant à lui
raconter. Devant elle, il se sentait plat comme un trottoir de
rue, d'où son besoin d'invoquer mille et une fois ce que par
défaut il appelait « amour » afin de justifier sa présence à

côté de la jeune femme. Tandis que le tango burlesque de
Brel retentissait dans la cabine de la Range Rover, il jeta un
coup d'œil sur l'homme qui en tenait le volant. La blondeur
de ses cheveux contrastait avec le bleu sombre du costume.
Mais c'était son profil de médaille qui le frappait le plus. Sa
virilité s'y concentrait en toute simplicité, nul besoin
d'afficher autre chose que ce qu'elle disait. Voilà un type qui
ressemblait à lui-même, réfléchit Gabriel en silence. *Je ne suis
que moi-même*, aurait pu être la devise de Toribio Schmidt.
N'être que soi tout en demeurant à l'écoute des autres,
attentif à ce qui se passait au delà des frontières, comment
était-ce possible? En tout cas, la peur ne paraissait avoir
aucune prise sur le modelé de ce profil. Rien dans ses traits
ne trahissait le moindre signe de lâcheté. Gabriel s'en voulait
à présent de sa méfiance à son égard. Il le regardait presque
comme le frère aîné qu'il aurait souhaité connaître.
Vraiment, il n'était pas jaloux pour un sou. D'une certaine
façon, ça le rassurait de constater que, là au moins, il avait
fait un pas en avant. Tout s'était passé comme si le mariage,
dont les images incongrues ne lui revenaient que par des
bouffées d'angoisse, l'avait purgé, ne serait-ce qu'en partie,
de la peur d'être abandonné par Ana.

> *Mais ce soir y a pas d'Argentines*
> *Y a pas d'espoir*
> *Et y a pas de doute*
> *Ce soir il pleut sur Knokke-le-Zoute*
> *Ce soir comme tous les soirs*
> *Je rentre chez moi*
> *Le cœur en déroute*
> *Et la bite sous le bras*

En compagnie de Toribio Schmidt, dans cette coquille
blindée indifférente aux menaces du monde, il oublia la

neige et les incertitudes qui l'attendaient au bout du chemin. Or, cet état de grâce ne fut que de courte durée. Toribio, alors que Gabriel ne s'y attendait pas le moins du monde, se mit à parler d'Ana Stein avec le ton impertinent de quelqu'un ayant des révélations à faire :

— Elle n'est pas calée qu'en mécanique, tu sais, insinua-t-il.

Faisant la sourde oreille, Gabriel s'empressa de changer de sujet :

— Quel est le titre de cette chanson de Brel ?

— *Knokke-le-Zoute tango.* Je te parle d'Ana.

— Elle a mal au crâne. Vaut mieux lui foutre la paix, suggéra-t-il.

— Les armes, elle s'y connaît pas mal aussi. Là, j'avoue qu'elle m'a surpris, insista l'autre.

Piqué par la curiosité, Gabriel passa outre ses appréhensions :

— Qu'est-ce qu'elle t'a dit, au juste ? s'enquit-il d'une voix tout à coup inquiète.

— Elle voulait mettre les choses au clair. C'est ce qu'elle m'a dit en tout cas.

— Quelles « choses » ?

— Je ne sais pas exactement. Je n'ai pas tout compris. Peut-être qu'elle avait tout simplement envie de parler à quelqu'un.

> *Les soirs où je suis Espagnol*
> *Petites fesses grande bagnole*
> *Elles passent toutes à la casserole*

— Est-ce que tu peux baisser le volume, s'il te plaît ?

Sa voix s'était mise subitement à chevroter comme celle d'un vieillard. Encore une fois, la peur qui refaisait surface. Il la chassait par la porte, et la voilà qui rentrait par la fenêtre.

— Avant d'immigrer au Canada, elle a travaillé à New York pour un trafiquant d'armes, informa le reporter avec la conviction de quelqu'un qui s'acquitte d'une mission.

— Écoute, Toribio, le passé d'Ana Stein, pour ne rien te cacher, ne m'intéresse pas beaucoup, balbutia-t-il, incapable de trouver le registre qui ferait croire à ses mots.

— Sauf que le type était bègue, et quand la langue lui fourchait au milieu d'une affaire, il dégainait son arme. Alors, pour ne pas avoir à tuer tous ses clients, il emmenait quelquefois Ana avec lui.

Le regard accommodé sur le lointain, méfiant, Gabriel amorça une tentative de révolte :

— Pourquoi tu me racontes tout ça maintenant ?

— Pour que tu saches où tu mets les pieds.

Au bout de quelques secondes de réflexion, il demanda :

— Qui m'assure que tu dis vrai ?

Sa voix ne tenait plus qu'à un fil.

> *Quitte à pourchasser dans Hambourg*
> *Des Carmencitas de faubourg*
> *Qui nous reviennent de vérolé*
> *Je me les veux fraîches et joyeuses*
> *Bonnes travailleuses sans parlote*
> *Mi-andalouses mi-onduleuses*

— Tu sais que la vérité est un mythe. On n'a que des points de vue. Je te donne le mien. Tu en feras ce que tu voudras, se contenta-t-il de répondre.

S'accrochant à la bribe d'énergie qui lui restait, Gabriel réussit à formuler une dernière réplique :

— Ça me fait une belle jambe de t'entendre parler de «points de vue». C'était ça, le sujet de votre tête-à-tête au restaurant de l'hôtel ?

Le rythme nostalgique du tango meubla un long silence. Puis la voix dépourvue d'inflexions de Toribio Schmidt se fit entendre une nouvelle fois dans la cabine :

— Alors là, tu n'y es pas du tout, mon vieux. Le sujet de notre conversation, puisque tu tiens à le savoir, portait sur l'homme qu'elle dit avoir tué de trois balles dans le dos, dit-il.

8

Un jour où la lumière pliait bagage à quatre heures de l'après-midi, il descendit au salon du *bed-and-breakfast* pour prendre son dernier thé avec des scones. C'était sa pâtisserie préférée, et avec du thé à la citronnelle, elle n'avait pas sa pareille au monde. Toribio Schmidt lisait le *New York Times* confortablement installé au coin du feu. Son costume noir de coupe sobre mettait en relief le rouge grenat d'une cravate Hermès. Alors qu'il aurait pu se payer le meilleur hôtel en ville, curieusement, Toribio préférait séjourner dans ce *bed-and-breakfast* somme toute banal. Gabriel fit tout pour passer inaperçu, mais le regard froid du reporter le repéra immédiatement. Aussitôt invité à venir le rejoindre, Gabriel s'y prêta de mauvaise grâce, car il abandonnait le gîte avec ses valises pour s'installer chez Ana Stein pour de bon et il aurait souhaité que Toribio ne fût pas au courant. Depuis leur voyage à Buffalo, il avait préféré le maintenir à l'écart de tout ce qui concernait sa relation amoureuse avec la jeune femme. Or, en sa présence, Gabriel constatait, à son corps défendant, la force d'attraction que Toribio Schmidt continuait d'exercer sur lui.

— Alors, tu nous quittes pour mener tambour battant ta vie de couple à l'abri des regards indiscrets ? Pour être heureux, vivons cachés. C'est ça, ta devise maintenant ? s'enquit Toribio avec un sourire tout en demi-teintes.

Gabriel protesta, presque gêné :

— J'allais te le dire, mais comment est-ce que tu sais que j'emménage chez Ana ? Qui te l'a dit ?

— C'est écrit sur ton visage, répondit l'autre comme si la chose coulait de source.

Voilà Toribio Schmidt tout craché. Les nouvelles, il les percevait avant même qu'elles ne se produisent, à moins qu'Ana Stein, elle-même, ne fût à l'origine de la fuite, réfléchit Gabriel, l'air songeur.

Le crépitement d'une bûche dans l'âtre fit penser soudainement à Gabriel qu'il vivait malgré tout des moments précieux. Du thé, des scones et de la confiture de framboises lui seraient bientôt servis au coin du feu tandis qu'Ana l'attendait chez elle pour lui remettre enfin une copie de la clé de son appartement.

Ayant plié le journal, Toribio annonça de sa voix imperméable à tout accès de nostalgie :

— Moi aussi, je prépare mon départ.

Le regard bleu concentré à présent sur Gabriel, ses cheveux blonds brillaient sous le lustre du salon. La beauté anglo-saxonne de Toribio remettait en question l'image toute faite du séducteur latino à la peau basanée et au regard ardent.

— Un nouveau reportage ? s'intéressa Gabriel, soulagé de ne pas avoir à parler de lui.

— Après l'Argentine, je prendrai une semaine de repos à Kerkennah.

— On dirait une marque de ketchup. C'est où, ça ?

— C'est une poignée de terre et de sable en face de la Tunisie. On y accède depuis Sfax par ferry.

— Tu y vas seul ?

Une fois formulée, sa question sonna trop féminine, mièvre même. Pourquoi ne s'occupait-il pas plutôt de ses oignons ? Pourquoi ne pas se contenter de se tenir au chaud tout en laissant aux autres le soin de s'agiter dehors ? *Nos problèmes dans la vie commencent dès que nous sortons le nez de notre tasse de thé.* Il se rappelait fort bien cette phrase. Feu le Consul l'avait brandie comme une cuirasse un de ces jours où sa mère s'inquiétait trop de certains parfums mercenaires qu'il ramenait la nuit à la maison.

— Voyageur solitaire, je me nourris de ce que je trouve sur place. Je ne me déplace que pour la couleur locale.

Tiré à quatre épingles, comme d'habitude, Toribio Schmidt était le type d'homme qui captivait le regard des femmes. Même au repos, ses yeux bleus avaient cette tension froide du libertin conscient de son pouvoir de séduction. Ce n'était pas seulement une question de beauté. Du modelé de son visage se dégageait une sorte de violence apprivoisée. Les femmes aimaient voir cette force domptée sur les traits de l'homme qui les courtisait. Leur confiance allait aux guerriers qui domestiquent le feu. Décidément, d'une certaine façon, Gabriel aurait donné sa vie pour être à sa place.

— Le jour où tu seras face à la mer, au port de Sfax, pense à moi, murmura-t-il les yeux braqués sur le foyer.

Voulait-il lui signifier ainsi son amitié en dépit de leur dernière conversation qui lui avait laissé un goût plutôt amer dans la bouche ?

— Je pense à toi maintenant, fit le reporter en le regardant droit dans les yeux.

Gabriel se jura que s'il parlait encore une fois d'Ana, il lui fausserait compagnie sur-le-champ. Étrangement, Toribio croqua plutôt le portrait de son assistante, Marcela Briuolo, qui l'avait aidé à enquêter sur la femme dont la rage de dents avait fait le tour de la terre. Marcela était Argentine, polyglotte, discrète, et elle ne manquait jamais de réflexe. Voilà ce qu'il sortit en gros.

— Est-ce qu'elle tire plus vite que son ombre? s'informa Gabriel avec une pointe de sarcasme.

— Ça, je ne sais pas mais, en tout cas, je ferai attention à ne pas lui offrir un Colt 45 comme cadeau de mariage, dit Toribio d'une voix détachée et goguenarde.

Gabriel prit un dernier scone, puis il dit:

— Il faut que j'appelle un taxi.

Toribio Schmidt aurait pu parler encore longtemps. On voyait bien qu'il était en verve, mais il se contenta d'esquisser un sourire.

Puis il affirma sur le ton de quelqu'un qui ne fait que rendre un service:

— Marcela aura besoin de travail quand je ne serai plus là.

— Si elle est si efficace, pourquoi ne la prends-tu pas avec toi?

— Elle n'a pas ses papiers en règle, puis elle n'aime pas le pays de Bush.

Il y eut un silence. Gabriel était impatient de partir — Ana Stein n'aimait pas qu'on la fît attendre — et, au lieu de prendre congé en toute simplicité, il chercha à s'en dédouaner par une marque de gentillesse:

— Dis-lui de passer à la maison, Ana pourra très certainement lui donner un coup de main.

Trois jours après leur dernière rencontre au *bed-and-breakfast*, Toribio Schmidt appela chez Ana. Gabriel était dans la cuisine, sous le puits de lumière en forme de hublot du dernier étage. À l'heure du petit-déjeuner, le ciel trempait dans le café noir d'Ana Stein. *Quand je dis à l'ambassade que mon café est bleu comme une orange, personne ne me croit,* dit-elle en souriant le jour où elle lui confia les clés de sa maison. Il aimait, lui aussi, ce cône de lumière qui faisait de la cuisine une hutte de clarté, à l'odeur de clous de girofle.

C'était samedi et, pour plaire à Ana, Gabriel n'avait trouvé rien de mieux que de lui préparer un plat exigeant beaucoup d'ingrédients. Le gigot d'Ève à la rhubarbe — recette préférée d'Evita Perón lorsqu'elle rentrait à la Casa Rosada, le palais du gouvernement à Buenos Aires, après avoir harangué les foules affamées — lui donnait du fil à retordre.

— Tu dis que tu pars demain à midi ? s'exclama Ana au téléphone, comme si elle n'en croyait pas ses oreilles.

Voilà que le chasseur de catastrophes tirait enfin sa révérence. Soulagé et attristé simultanément, Gabriel songea au drôle de métier qui était le sien. Consacrer sa vie à enquêter sur les malheurs d'autrui, c'était aussi une manière peut-être de les exorciser. Toribio Schmidt cherchait-il à apprivoiser la mort comme un dompteur de cirque enfermé avec ses fauves ?

— On l'invite à souper chez nous ce soir ? le consulta Ana en plaquant sa main gauche sur le combiné.

Gabriel fit non de la tête sans se détacher une seconde de ses casseroles.

— Pourquoi tu as dit non ? protesta-t-elle en raccrochant le téléphone au bout d'une longue conversation avec Toribio dont Gabriel perdit quelques bribes.

Exaspéré par un gigot qui débordait largement ses talents culinaires, il dit à l'emporte-pièce :

— Parce qu'il répand des atrocités sur ton compte, voilà pourquoi, Ana.

— Qu'est-ce qu'il raconte au juste ? s'enquit-elle, piquée au vif.

Ça y est, c'est parti, pensa-t-il. Le front subitement rembruni, Ana Stein foudroya Gabriel du regard. *Ana Piedra, pourquoi faut-il enfermer dans un poing tes yeux que j'aime ?* lui avait demandé le Consul un soir d'été qu'elle boudait parce qu'il était arrivé en retard. Elle s'en souvenait comme si la question venait à peine de lui être posée. Ana Piedra, ce nom faisait corps avec sa mémoire, elle le portait en elle tel un talisman la protégeant contre les mirages des amours en trompe-l'œil.

— Je sais que ça ne peut pas être vrai, bredouilla Gabriel penché sur son gigot d'Ève à la rhubarbe.

Sa voix déclinait et s'essoufflait dès qu'elle durcissait le ton. D'où venait, s'interrogea-t-il, cette difficulté à affronter le regard de la jeune femme ? Dur et brillant, taillé en solo face aux hommes qu'elle aimait et abhorrait tour à tour, le regard d'Ana Stein était comme un diamant noir.

— Qu'est-ce que tu sais qui ne peut pas être vrai ? le questionna-t-elle de plus en plus irritée.

— Voyons, Ana, ce qu'il raconte sur toi.

— La seule manière de le savoir, c'est si tu me le dis, couillon.

« Couillon », oui, c'était bien le mot qu'elle avait employé. L'image le fit songer à une grande couille pâle et molle sur le point d'être pilée au fond d'un mortier de granit.

— Ce n'est pas mon affaire, trancha-t-il, pressé de couper court à ce début d'altercation.

Puis tout à coup, comme s'il eut voulu la mettre à l'abri de ses propres mots, il s'approcha d'elle avec l'intention de lui prendre la main.

— Tu es un lâche, Gabriel, jamais tu ne parviendras à rien, lança-t-elle à brûle-pourpoint.

Puis elle se tut.

— Vous avez parlé longtemps au téléphone, grommela-t-il du bout des lèvres en cherchant à briser le silence dans lequel elle s'enfermait après l'avoir humilié.

Alors elle reprit la parole :

— Il a annulé ses vacances dans je ne sais plus quelle île de la Méditerranée. Dès que son travail en Argentine sera terminé, il prendra l'avion pour Lima. Voilà ce qu'il m'a dit.

— Il ne chômera pas au Pérou. Entre les catastrophes naturelles et la misère du peuple, il n'aura que l'embarras du choix, dit-il d'une voix désabusée.

— Il va enquêter sur un couple de vieillards resté enfermé dans l'ascenseur d'une maison de trois étages. Ils étaient si radins qu'ils préféraient vivre sans service domestique. Ils ont d'abord bu leur urine, et quand la femme est morte d'une crise cardiaque, le mari s'est mis à la bouffer. Tu vois la scène? Leur fils unique, n'ayant pas de nouvelles, s'est rendu sur place au bout de quelques jours pour retrouver le père avec ce qui restait de la mère dans sa bouche.

— *Réunion de famille* pourrait être un bon titre pour la future chronique de Toribio. Qu'est-ce que tu en penses? dit-il sur un ton qui se voulait cocasse.

— Toribio, au moins, a le courage de dire ce qu'il voit.

Jamais il ne saurait si ce fut le sens de ses mots ou la manière de les dire qui le heurtèrent de plein fouet. C'était donc ça, vivre à deux, se dire des méchancetés un samedi à midi, oublier en somme pourquoi ils étaient ensemble?

Il s'assit sur un banc qu'Ana Stein utilisait tantôt pour placer des conserves en haut de l'armoire, tantôt pour montrer le galbe de ses hanches les nuits où elle ne boudait pas.

— Oui ou merde, tu vas me dire une fois pour toutes ce que Toribio t'a raconté pendant le voyage de retour de Buffalo? l'apostropha-t-elle avec l'obstination d'une femme qui ne plie jamais.

Coincé, sachant qu'il valait mieux ne pas jouer au plus futé avec elle, la gorge serrée, il vida son sac d'un coup:

— Il a dit que tu t'y connaissais en armes. Selon lui, tu aurais déjà tué.

Comme un écran d'ordinateur qui gèle, le visage de la jeune femme cessa de transmettre le moindre signe de vie. Suspendue, la beauté de ce visage n'était plus qu'un masque figé dans une sorte de degré zéro de l'expression. On aurait cru à une panne subite de l'être, un effondrement de sa capacité d'éclairer la seule nudité qui compte en société, celle du visage. Alors il comprit que la beauté d'Ana Stein ne le touchait que dans la mesure où il y décelait une multiplication de nuances. À partir d'une palette de quatre couleurs, qui rappelaient celles des portraits du Fayoum, blanc, ocre jaune, terre rouge et noir, la géographie faciale du modèle qu'il avait choisi comme femme était capable de créer une vaste gamme de mélanges et d'harmonies. Son attirance pour le gris métallisé (outre celui des voitures de luxe, fallait-il y ajouter l'éclat cobalt des revolvers ?) n'était pas, lui non plus, gage de monotonie. Chacune de ses robes, en dépit du gris fondamental qui les animait, changeait en fonction de la lumière du jour. Celle du samedi où Gabriel lui rapporta les propos de Toribio Schmidt était d'un gris luttant pour absorber le rouge qui débordait ses plis. Elle s'assit sur une chaise, Ana Stein, le tronc rigide, les bras le long du corps, le regard absent comme celui d'une statue. Pourquoi voulait-il au juste qu'elle parlât? Comment son visage pouvait-il encore s'animer après avoir probablement osé transgresser le tabou qui nous empêche de couper le fil d'une vie? Alors, oublieux de ses devoirs à l'égard de la mémoire du défunt, avide de se glisser une nouvelle fois dans les plis du gris qu'il cherchait à partager avec elle, il fit tout pour l'amadouer et la ramener là où était son désir :

— Tu vois qu'il dit des méchancetés dans ton dos. Maintenant, tu comprends pourquoi je ne voulais pas qu'il vienne chez nous, murmura-t-il à son oreille.

D'un mouvement attentionné, trop pénétré sans doute de la fragilité qui le portait, il caressa ses cheveux. Ana

Stein, le visage hiératique et fermé à tout ce qui n'était pas son propre silence, ne semblait plus là. Au moment où il pensait que le silence engloutirait tout, y compris son propre vide, elle éclata en sanglots. Des sanglots d'autant plus saisissants qu'ils étaient secs. Pas une seule larme ne ruisselait sur ses joues dont la carnation de tubéreuse annulait l'équilibre de la nuit à venir. Pourquoi si sec, ce visage secoué par les sanglots? Jamais il ne s'arrogerait le droit de juger cette femme qui avait probablement accompli ce que son ressentiment couvait depuis le jour où le Consul avait décidé de quitter le pays. Ayant l'air tout contrit de sa maladresse, Gabriel se mit à genoux et appuya sa tête dans le giron d'Ana Stein comme un enfant soucieux de se faire pardonner avant que le gris ne virât au noir.

Chaque réveil aux côtés d'Ana était une confrontation avec le meilleur et le pire de sa personnalité. Même si la soirée avait été paisible, il était difficile de prévoir de quel pied elle se lèverait le lendemain. Quelquefois — il en était d'autant plus sensible que cela arrivait rarement —, des matins d'une douceur inattendue découvraient dans la voix d'Ana Stein des inflexions de jeune fille prête à toutes les soumissions pour un petit câlin bien au chaud. Toujours dans la même veine, elle pouvait aller jusqu'à demander à Gabriel de lui attacher sa robe. Et voilà que, tout en s'acquittant de sa tâche sans rechigner, il en profitait pour embrasser la masse de ses cheveux d'une bouche encore imprégnée de café. Quand elle n'était pas trop pressée, ou bien qu'une certaine langueur dans ses gestes laissait pré-sager un accueil favorable, les lèvres de Gabriel s'attar-daient sur le cou de la jeune femme. À ces moments-là, Ana se retournait et le regardait sans froideur. L'espoir d'avoir réveillé son amour effleurait alors son esprit. Mais cela était plutôt rare et, la plupart du temps, il craignait en fait qu'elle ne fût ailleurs et de plus en plus sur la défensive dès qu'il s'agissait d'aborder un sujet.

Avoir de mauvais réflexes dans un monde peuplé de vertiges est la meilleure manière de rater le train, réfléchit Gabriel un jour en se regardant dans la glace. Non, aujourd'hui non plus, il ne se raserait pas. À quoi bon présenter une peau lisse de bébé, alors que tout devenait hirsute, échevelé et hérissé derrière le masque? De toutes façons, sa lame de rasoir était ébréchée et il n'avait vraiment pas du tout envie d'aller dans une de ces pharmacies où on les vendait par paquets de cinq ou de dix à des prix prohibitifs. Alors il tourna le dos au miroir et, reprenant ses cartes, se mit à faire des patiences afin de tromper son désarroi. Mais quelque chose lui disait qu'il ne fallait pas non plus qu'il joue au poker avec ses démons s'il n'avait pas un as dans sa manche. Et si le hasard lui refusait l'as, alors il devrait attaquer au moins le premier pour créer l'effet de surprise. Or il traîna comme à l'ordinaire, et Ana Stein reprit son avance sur lui. Tandis qu'il bayait aux corneilles, elle lâcha la bride au pur-sang trépignant dans ses veines. Au moment même où elle s'enivrait de vitesse dans l'espoir de flouer sa conscience, lui, par contre, il croupissait dans un bocal fait sur mesure par ses propres peurs. Pourvu qu'il restât aux côtés de la jeune femme, il était prêt à jouer le rôle du poisson rouge dont les frétillements semblent toujours au ralenti.

Les jours les plus froids de l'hiver, les plus sombres aussi, s'écoulèrent sans que la police donnât signe de vie. Mais depuis quand, réfléchit-il en maugréant, la police donne-t-elle signe de vie? D'après Ana, il n'y eut qu'une lettre de la GRC annonçant une prochaine convocation censée éclaircir sa situation. Puisque aucune date n'y figurait, et qu'Ana Stein jouissait toujours de sa liberté,

Gabriel s'accrocha à l'idée qu'elle n'était qu'une des conquêtes sur la longue liste d'un séducteur invétéré, victime sans doute des foudres d'un mari trompé. Les flics avaient certainement compris cela et voilà pourquoi Ana n'était plus convoquée aux bureaux de Montréal. Mais comment expliquer l'existence de ce bracelet électronique que la jeune femme faisait semblant de porter toujours à la cheville ? C'était d'ailleurs à l'aide des informations qu'il était censé fournir que la GRC déciderait probablement de la suite des événements. C'était plus fort que lui, pour Gabriel, la beauté d'Ana Stein était la meilleure preuve de son innocence.

Un matin ensoleillé, Toribio Schmidt téléphona de Buenos Aires alors que Gabriel était seul à la maison. Avec une diction germanique qui ne laissait la prononciation d'aucune syllabe au hasard, le reporter l'informa que l'histoire de l'héritier argentin touchait à sa fin :

— Sans argent pour acheter les remèdes susceptibles de prolonger sa vie, il reste au lit à longueur de journée. J'ai voulu l'aider, mais il s'y refuse sous prétexte que la publication de son histoire lui suffit. Il insiste pour que je décrive dans les moindres détails les souffrances qui ont précédé la mort récente de la jeune femme maintenue en esclavage par son père. Il pense que c'est elle, la véritable victime. Quant à moi, je crois qu'il n'a rien compris à ce qui lui est arrivé.

Sur le ton impersonnel de quelqu'un qui s'acquitterait d'une obligation, il demanda des nouvelles d'Ana Stein. Soit parce que son dernier appel avait ruiné tout un week-end chez eux, soit pour que leur couple ne figurât plus sur l'écran de Toribio Schmidt, Gabriel lui révéla que, d'un commun accord, Ana et lui étaient sur le point de se quitter. De sa voix neutre et impassible, Toribio remarqua que c'était la meilleure chose qui pouvait lui arriver.

— Vivre avec Ana Stein, c'est comme vivre avec une bombe collée aux semelles de tes souliers, dit-il avant de raccrocher.

Le dégel arriva sans crier gare. Gabriel n'en croyait pas ses yeux. Tout d'un coup, la température se mit à monter et la terre, l'odeur âcre de ses humeurs jusque-là tapies, reprit sa place parmi les parfums sucrés des femmes. Ici et là, l'eau dessina des torrents qui renversaient tout ce qu'ils touchaient. Alors il rêva d'une Ana Stein ressourcée et reverdie comme les premières pousses qu'apporterait le printemps. Cependant, la moindre expression d'inquiétude ou de dureté sur son visage lui faisait craindre le pire. Femme sans doute d'une seule saison, il pressentait qu'Ana Stein serait fermée au printemps. Ce corps dont la joie s'épanouissait dans le gris demeurait toujours une énigme pour lui. Mais cherchait-il vraiment à la comprendre? Obscurément, il sentait qu'une Ana Stein déchiffrée, enfin transparente, serait peut-être hideuse, irrecevable en somme. Puis la beauté n'exigeait-elle pas l'ombre pour mieux faire ressortir son éclat?

Un vendredi soir où la robe cendre de la maîtresse de maison s'irisait à son regard comme la gorge roucoulante d'un pigeon, Ana annonça la visite de Marcela Briuolo. Comme ça, à l'improviste, et sans consultation préalable. Il faut dire qu'elle aimait faire ce genre de choses, Ana, des tours de passe-passe pour escamoter son vrai visage.

— À vingt heures précises, elle sera là, la Dénoueuse, fit-elle avec un sourire en demi-teinte de prestidigitatrice sûre de son coup.

— « La Dénoueuse » ? répéta Gabriel, pris de court.

— C'est le sobriquet donné par Toribio Schmidt quand elle était son assistante, tu sais. Selon lui, Marcela est capable de résoudre n'importe quelle affaire, aussi inextricable soit-elle.

En entendant le nom de Toribio Schmidt, Gabriel ne put s'empêcher de sursauter. Alors, inquiet, il demanda :

— Quand est-ce que tu l'as rencontrée ?

— Elle est venue me voir au bureau l'autre jour pour savoir si je pouvais l'aider à trouver du travail. Depuis que Toribio est parti, elle est sans le sou.

— Quand est-ce qu'elle est passée te voir ? insista-t-il en fronçant les sourcils.

— L'autre jour. Pourquoi ne m'entends-tu pas quand je te parle ?

L'irritabilité d'Ana s'accentuait au fil des jours. Gabriel avait de plus en plus de mal à passer l'éponge.

— Pourquoi ne m'entends-tu pas quand je te parle ? le questionna-t-elle une nouvelle fois, de plus en plus énervée.

— Et pourquoi l'as-tu reçue, A ?

Celle qu'il appelait « A », quand le souffle lui manquait pour clore son nom, haussa les épaules brusquement.

— Je n'ai pas peur des femmes, moi, dit-elle sur un ton peu soucieux de plaire.

La curiosité — ou la méfiance ? — de son interlocuteur l'avait peut-être agacée, et voilà qu'elle lui cherchait noise. Devant l'imminence d'une scène de ménage, paradoxalement, Gabriel constatait que cela accentuait son désir d'elle. Le ton vif qu'elle adoptait dans ces occasions avait au moins le mérite de réanimer un instinct sexuel assoupi pendant la journée. Le braconnier qui sommeillait en lui quittait alors son guet pour risquer des regards à ciel ouvert. Dès qu'elle irait s'asseoir dans son fauteuil préféré, la pâleur cireuse de sa chair contrasterait fortement avec le gris anthracite de sa robe. Puis il serait le seul témoin de l'éclat où la soie de la culotte mettrait en relief la fermeté de ses cuisses. Il connaissait par cœur la texture de ses slips qu'il achetait dans les meilleures boutiques de la ville avec l'argent que sa mère lui envoyait au compte-gouttes en attendant la liquidation de la succession. Flamber son héritage en culottes de femmes déclenchait chez Gabriel des érections élégiaques.

Après la douche, il l'attendait dans la chambre avec la culotte en soie de la journée. Ce mouchoir à fesses entre les mains, c'était bien sa manière à lui de tâter sa peau avant qu'elle ne vienne en personne altérer le pouls de ses dix doigts. Le jour mémorable où Ana Stein daigna porter son offrande, il éprouva la joie vive et spontanée de l'enfant habillant sa première poupée. Il s'agissait d'une licence qu'elle lui octroya sans mot dire, et qu'il exploita jusqu'à la corde. Tant qu'il y aurait cette escale de soie entre eux, l'amour serait encore possible, pensait-il.

Le soir où Marcela Briuolo leur rendit visite à vingt heures tapantes, le gris et le noir léchaient les cuisses d'Ana Stein. Il aimait l'épier comme un chasseur furtif pour qui chaque seconde compte. Pour lui, chaque regard était un vol dont l'impunité faisait tout son charme. À vrai dire, ça ne lui disait rien de rencontrer l'ex-assistante de Toribio Schmidt, et encore moins de deviser avec elle. L'exiguïté de l'appartement d'Ana et un minimum de politesse firent qu'il resta quand même dans le salon. Le dos tourné, il se concentra sur le choix d'une musique susceptible d'abréger le séjour de l'intruse. Tiens, pourquoi pas *Le marteau sans maître*, pour alto et six instruments, de Pierre Boulez, chef incontesté et incontestable de la célèbre école *dodécaco-phonique* française. Dès les premières notes qui décom-posaient à merveille la matière sonore en éléments d'une simplicité ravissante, il fut subjugué par la voix douce et chaleureuse de la Dénoueuse. Il aurait préféré passer ina-perçu afin de ne pas rompre la grâce de cette voix dont la richesse des registres remplissait l'espace. Sans qu'il sache pourquoi, un sentiment de ravissement et d'inquiétude le fit frémir. Il y avait des moments où la peur d'être humain le prenait à la gorge. Être humain, pour lui, ça voulait dire être l'objet des modifications de l'autre. Aussitôt entrée dans le salon, il sentit que Marcela Briuolo viendrait troubler l'équilibre précaire qui régnait dans la maison. Altéré, transformé donc par cette voix qui se riait de la gravité dans laquelle évoluait Ana Stein, il ne put que se tourner vers la nouvelle arrivée. De grands yeux châtain clair animaient une figure harmonieuse et épanouie. Quoiqu'elle gardât sa ligne, on voyait bien que son corps ne tarderait pas trop à être débordé par l'élan d'une chair pulpeuse à souhait. Les présentations d'usage se firent dans une atmosphère décontractée. Tout y contribuait : la mine poupine et fraîche de la visiteuse, les gestes mesurés d'Ana Stein tout à fait à l'aise dans son rôle de prêtresse des lieux. Assis tous les trois autour de la table basse sur laquelle était servi l'apéro, Ana dit sur un ton détaché et désinvolte :

— On n'a jamais très bien compris qui était en réalité Toribio Schmidt, tu sais. Serait-ce trop te demander que d'éclairer un peu notre lanterne, Marcela ?

Le whisky ayant été préféré au vin, Gabriel en remplit les verres.

— Pourquoi ne lui avez-vous pas posé la question quand il était encore là ? répliqua Marcela dont le regard franc et direct semblait venir tout droit de ses sentiments les plus à fleur de peau.

— Je ne crois pas que Toribio soit le type d'homme qui accepte de faire son autoportrait en public, rétorqua Ana avec l'ironie qui gagnait sa voix dès qu'ils n'étaient plus seuls.

Gabriel observait sidéré le contraste entre les deux femmes. L'une brune, l'autre châtaine, des éclats sombres dans les yeux de la première, une douceur lumineuse dans ceux de la seconde. Pourtant, son intuition lui disait qu'en dépit des apparences elles pourraient s'entendre comme larrons en foire.

— Toribio échappe aux formules toutes faites. On dirait que les détecteurs de radars avec lesquels il voyage partout l'aident aussi à éviter le stéréotype, fit Marcela.

Gabriel sourit, séduit par l'esprit de repartie dont faisait preuve l'invitée d'Ana Stein.

— Parle-nous de lui quand il oublie que la terre est ronde comme un gyrophare de voiture de police, insista Ana.

— Il est déjà parti. Ça ne servirait à rien de nous accrocher à ce qu'il a laissé voir de lui pendant son séjour ici. J'aurais aimé continuer à travailler à ses côtés, mais il n'a pas voulu.

— Pourquoi est-ce qu'il n'a pas voulu? demanda Gabriel en prenant part soudainement à une conversation qui aurait parfaitement pu se passer de lui.

Nullement interloquée par une question aussi indiscrète, elle le regarda comme s'il venait d'entrer dans le salon d'Ana Stein :

— Il a dit que je deviendrais grosse un jour et qu'il préférait voyager léger, expliqua l'invitée d'une voix naturelle et posée.

— Salaud! s'exclama tout à coup Ana.

— Pourquoi « salaud »? Il a dit ce qu'il pensait, précisa Marcela Briuolo.

— Il te laisse tomber et, par-dessus le marché, tu te mets à le défendre?

Sans hausser le ton, la voix d'Ana Stein frisait l'exaspération.

— Il ne m'a pas laissée tomber, Ana. Il est parti, c'est différent.

— Ils se servent de toi, puis ils foutent le camp. Le coup classique. Voilà le scénario de tous les films que je connais.

— Personne ne se sert de toi si tu ne veux pas, Ana.

Le regard d'Ana se durcit. Puis, comme si elle se parlait à elle-même, elle s'informa :

— Tu l'aimais, n'est-ce pas, Marcela ?

— Comment ne pas aimer un blond aux yeux bleus qui prend en charge tous tes frais quand tu es avec lui ?

Un sourire mélancolique plissait les lèvres de la Dénoueuse.

— Pourquoi n'as-tu donc pas empêché qu'il te file entre les doigts ? riposta Ana du tac au tac.

— Voyons, Ana, à quoi ça rime de s'acharner sur quelqu'un qui ne veut plus de toi ? L'amour est un drôle d'oiseau, il aime détruire la branche sur laquelle il fait son nid, dit-elle sans amertume, sur le ton d'un simple constat.

Ana la fixa sans indulgence.

— T'es vraiment naïve, désolée de te le dire comme ça. Puis l'amour, tu sais pas ce que c'est.

Cette fois-ci, Gabriel s'interrogea sur la nature exacte de la sympathie qu'il croyait avoir décelée entre les deux femmes.

Après avoir vidé son verre, Marcela Briuolo sourit encore une fois, puis elle dit non sans un brin d'ironie :

— Si tu m'enseignes, je te promets d'être une bonne élève, Ana.

— Tes talents sont trop nombreux, Marcela, pour que tu ne fasses pas tes devoirs dans les règles de l'art, fit Ana en jetant sur la visiteuse un coup d'œil de la tête aux pieds.

Depuis quelques jours, Ana sombrait dans un silence bougon qui mettait Gabriel de plus en plus mal à l'aise. Comment savoir ce qui assombrissait son humeur si elle n'en soufflait pas mot ? Une nuit, alors qu'elle était couchée à plat ventre, la tête enfoncée entre deux oreillers, il se mit à lui caresser le dos avec l'espoir de l'égayer et de la faire parler. Peine perdue, le corps d'Ana tout entier ignorait ses deux mains d'homme, comme si elles n'existaient pas. C'était devenu un réflexe chez elle, sa manière peut-être de le punir pour l'avoir poussée à ce mariage sans queue ni tête. Cette fois-ci, Gabriel n'insista pas. La fatigue et le découragement firent qu'il abandonna la partie. Engoncé dans son vieux blouson de cuir, il sortit sans rien dire, en catimini presque, étonné de l'avoir fait et d'en éprouver un sentiment de liberté par la suite. Tête basse, il emprunta le chemin qui longeait la rivière Rideau. Le jeune homme aimait les cours d'eau et les nombreux parcs de la ville. Là s'arrêtait son amour pour Ottawa. En dehors d'une poignée de rues, rien ne venait vraiment stimuler son imagination. Tout y semblait programmé comme du papier à musique. Pas de fausse note mais pas d'intensité non plus. Gabriel regrettait le Plateau Mont-Royal où un étranger comme lui passait inaperçu. La montagne avec ses vues dégagées sur Montréal, le banc qu'il occupait au parc du Portugal à la tombée du jour, ses flâneries qui enfilaient le boulevard Saint-Laurent, l'avenue Duluth et la rue Saint-Denis comme les grains d'un chapelet bariolé dont le brouhaha et l'animation le réconciliaient avec le monde. Le Plateau, voilà un endroit où être différent, c'était un peu être chez soi. Ouvert aux quatre vents, multilingue, ce tissu de rues étroites sentant la friture en été et l'arôme du café chaud en hiver émoustillait ses sens. Buenos Aires, sa ville natale, n'avait pas cette variété, l'homogénéisation des cultures — comme on dirait d'un lait caillé depuis longtemps — y écrasait beaucoup de contours. Gabriel était à présent convaincu que, parce que la capitale argentine avait été bâtie avec les yeux rivés sur l'Europe, une sorte de trompe-l'œil empêchait le côté obscur de cette ville de refaire surface. Ce pont que la mort de son père avait créé entre Buenos Aires et Montréal, serait-ce après tout son véritable héritage ? L'idée d'un pont comme héritage lui plaisait assez, sauf qu'Ottawa était venu brouiller les cartes. Au fond, il n'arrivait pas à s'y intégrer, pis encore, il sentait qu'avec sa gueule de métèque, comme disait la chanson, il aurait tout le mal du monde à se dénicher un job. Il en était à se demander si tôt ou tard il ne lui faudrait pas déguerpir quand il se retrouva nez à nez avec Marcela Briuolo, la Dénoueuse. En jean délavé et pull à col roulé vert pâle, elle sembla contente de le revoir comme ça, à l'improviste.

— *Welcome to Strathcona Park, the most beautiful no man's land in town !* s'exclama-t-elle, souriante.

— Mais qu'est-ce que tu fais là ? demanda-t-il, surpris et content tout à la fois de la revoir.

— Je loue un palais de cent pieds carrés dans un magnifique sous-sol avec vue imprenable sur les poubelles des voisins, pas très loin d'ici. Je sors faire ma promenade nocturne. Je résiste courageusement à l'idée de me transformer en taupe, expliqua-t-elle, les yeux pétillants de malice.

Sa voix était si légère qu'il se demanda même si elle n'était pas un peu pompette.

Sur la rivière Rideau, la lune à cheval entre les deux rives éclairait le visage harmonieux de la jeune femme. *Je vois mal une taupe avec des yeux comme les tiens*, dit-il, subitement persuadé que le regard d'un brun clair de Marcela était le seul remède possible contre l'insomnie qui l'attendait à coup sûr chez Ana Stein. Châtaine, sa nuit n'en serait pourtant pas moins sombre. Mais ça, il préférait le remettre à plus tard. Pour l'instant, il fallait épuiser le présent, ne surtout pas penser au lendemain. Marcela Briuolo, la Dénoueuse, était à prendre ou à laisser. Alors, sur un coup de tête, il choisit, pour une fois, un corps de femme dont la lumière — tout comme dans les écrans de télé — semblait venir de l'intérieur.

— Où est-ce que tu as été hier soir ?

Le lendemain de sa rencontre avec Marcela, Ana Stein l'attendait de pied ferme dans la cuisine. Ce n'était pas la précision incisive de sa question qui l'étonnait le plus, mais plutôt le ton de sa voix où une étrange note de délivrance pointait au delà de l'amertume et du désenchantement.

Assise sous le puits de lumière qui éclairait la table, elle tenait une tasse de café à la main. Curieusement, Gabriel trouva qu'elle ressemblait du coup à Vidalina. Ses cheveux ébouriffés lui couvraient le front. Soudain, en la voyant sous le cône de lumière, il se remémora les chutes d'Iguaçu qu'il avait visitées l'année précédente à la frontière entre le Brésil et l'Argentine. Vu derrière le rideau d'eau, le précipice dans lequel se jetait la rivière du même nom se transformait en lumière. L'image d'Ana dans sa cuisine, une tasse de café noir à la main, avait aussi quelque chose de religieux qu'il ne pouvait adorer que du haut d'une corde, comme le ferait un trompe-la-mort. *Ana d'Iguaçu, notre-mère-qui-êtes-aux-chutes, ayez donc pitié de nous*, aurait-il imploré volontiers si le manque de sommeil et le sentiment de culpabilité eussent été moins forts.

— Où est-ce que tu as été hier soir ?

Il ne savait plus si elle venait de répéter la question ou s'il agissait tout simplement de l'écho de la voix d'Ana Stein dans son cerveau.

Craignant une explosion soudaine de sa part et inquiet à l'idée d'affronter la colère froide qui pouvait s'ensuivre, Gabriel adoucit sa voix dans l'espoir de l'amadouer.

— Ne va pas chercher midi à quatorze heures, Ana, j'ai traîné dans les rues qui bordent la rivière Rideau, voilà tout.

Coupée de la réalité comme un nénuphar au milieu d'un marécage, sa voix n'avait plus d'assise. Ayant le sentiment très net que le moindre emportement l'écraserait jusqu'à la réduire à néant, il pria secrètement pour qu'Ana

Stein ne fît pas appel aux flèches qu'elle décochait lorsqu'elle broyait du noir.

— Jusqu'à trois heures du matin ? Mais pour qui tu me
prends ? se rebiffa-t-elle sur un ton sec et cassant.

Avec un peu de chance, peut-être que ses questions
remonteraient comme des bulles de savon en l'air et fini-
raient par éclater sans laisser de traces. Lentement, comme
s'il cherchait à faire oublier son corps, il se servit du café
préparé par elle. Fort, très fort ce café dont la première
gorgée provoqua une tachycardie qui eut au moins le
mérite de rappeler à Gabriel que son cœur battait toujours.
Non, il n'était pas encore mort, d'ailleurs, ce n'était pas la
mort qu'il craignait mais juste l'idée de mourir. Mais, à y
regarder de plus près, qu'est-ce qui lui prouvait qu'il
n'était pas déjà mort ? Le sommeil gluant et visqueux dans
lequel il sombrait n'était-il pas une sorte de mort par antici-
pation ?

— Où est-ce que tu as été hier soir ?

Maintenant, il comprenait qu'elle ne lâcherait pas prise.
Ana Stein multiplierait les provocations, voire les injures,
en attendant qu'il régurgite. Ce n'était pas une demande
de pardon en bonne et due forme qu'elle voulait mais ses
aveux de traître. Confronter les hommes avec la fugacité de
leurs passions était une vocation chez elle, une sorte
d'apostolat. Gabriel se perdait en conjectures, incapable de
comprendre en réalité l'acharnement de la jeune femme.
Cherchait-elle à l'accabler ou s'agissait-il tout simplement
de l'expression de la douleur qu'elle éprouvait ? Il aurait
voulu se confier à elle, lui faire état du sentiment d'abandon, voire de malaise, qu'il ressentait depuis qu'elle avait
adopté une attitude de repli à son égard, mais c'était trop
tard. Puis comment expliquer ce qui s'était passé avec
Marcela Briuolo lors de leur rencontre au bord de la rivière
Rideau ? Comment lui faire croire que tout cela ne serait

pas arrivé s'il avait pu rester tranquille à la maison ? Mais pourquoi diable avoir accepté d'aller prendre un verre chez la Dénoueuse à une heure si tardive ? Derrière quelle formule toute faite comptait-il se cacher pour se justifier d'être tombé dans les bras d'une femme rompue à l'art de desserrer les nœuds des hommes qui croisaient son chemin ?

— Où est-ce que tu as été hier soir ? répéta-t-elle, les yeux rouges d'insomnie.

— Voyons, Ana, tu n'arrêtais pas de me faire la gueule, je suis allé me promener. Qu'est-ce qu'il y a de mal à ça ?

Trébuchant sur les mots, il avait de la difficulté à parler. La parole, décidément, lui faisait faux bond. Il se rendait compte que, de toute façon, quoi qu'il dise, le regard d'Ana Stein ne changerait pas. Paradoxalement, ce regard souvent ailleurs occupait maintenant toute la place, même qu'il le faisait se sentir tout petit, comme à l'époque où son père l'écrasait du haut de sa colère.

— Pourquoi tu ne veux pas me dire où tu as été hier soir ?

Sa voix calme et maîtrisée, malgré la rage sourde qui l'animait, laissait transpirer une tristesse intense.

— Je suis allé dans un bar du Marché By prendre un verre, Ana.

— Seul ? s'informa-t-elle sur un ton d'incrédulité qui ne faisait qu'intensifier l'atmosphère d'orage dans laquelle baignait son regard.

— Avec qui veux-tu que je sois dans une ville où je ne connais personne et où personne ne me connaît ? demanda-t-il à son tour d'une voix mal assurée.

Il y eut un silence, puis le retour du questionnement d'Ana Stein, obsédant et implacable.

— Pourquoi, Gabriel ?

— Pourquoi quoi, A ?

— Si tu n'es pas capable de décliner mon nom en entier, de grâce, ne le prononce plus.

— C'est d'accord, je ne le prononcerai plus, Ana.

— Pourquoi ne dis-tu pas simplement la vérité, Gabriel? s'acharna-t-elle d'une voix qui ne semblait se radoucir que pour mieux l'épingler.

— La vérité? Quelle vérité? La mienne? Celle de Toribio Schmidt? Ou la vérité d'Ana Stein?

À bout de souffle, Gabriel éprouva un regain passager d'agressivité, mais jamais les mots n'avaient autant pesé dans sa bouche.

— Pourquoi, au lieu de dire la vérité, cherches-tu à t'enfuir? Pourquoi, Gabriel Olmos?

C'était la première fois qu'elle l'appelait par son nom de famille. Un sentiment d'étouffement oppressa la poitrine du jeune homme. Le regard de cette femme rayait son amour-propre et le faisait éclater comme un verre inutile. Honteux et déboussolé, il était fait comme un rat. Il avait beau essayer de s'échapper par la tangente, le regard d'Ana Stein bouchait toutes les issues.

— C'est pour me faire ça que tu voulais m'épouser? demanda-t-elle, le visage tout à coup crispé.

N'ayant point de réponse pour cette question non plus, il baissa la tête.

Tel un jeu de ping-pong implacable, leurs deux voix épuisaient la nuit dans un dialogue dont l'amertume de l'une suscitait les regrets de l'autre:

— Tu m'as abandonnée, Gabriel, je n'ai plus personne sur qui compter.

— Je ne t'ai pas abandonnée, Ana, je suis avec toi.

— Tu n'es plus là.

— Ne dis pas ça, je serai toujours à tes côtés, Ana, contre vents et marées.

— J'ai perdu le nord quand j'ai connu ton père, et, à présent, c'est toi que je perds.

— Je suis le Sud, Ana, on y retournera ensemble, et on y rissolera au soleil à longueur de journée. Tu verras, Ana, en perdant le nord, c'est le Sud que tu gagnes.

— Le Sud n'existe plus. C'est ici que ça se passe pour nous, Gabriel.

— Imagine la lumière au bout du tunnel, Ana. La main dans la main, on traversera la frontière, la seule qui compte, celle qui gît dans nos têtes.

— Je suis perdue, Gabriel, je ne sais plus où commence le soleil et où s'achève l'ombre.

— Dessine-moi ton labyrinthe, ne parle plus, dessine-le-moi avec tes mains, ici même, sur ce lit dans lequel on meurt et on renaît chaque nuit, Ana.

— Mes mains sont vides, et je ne distingue plus entre le noir et le rouge.

— Ana, le rouge, ou le noir, te va comme un gant. Ta peau, je l'aime en toutes saisons.

— Ce n'est plus le moment de dire de belles phrases et de jouer les romantiques, Gabriel. On a raté le dernier train. Ça au moins tu le sais, n'est-ce pas ? Dorénavant, il n'y aura que la nuit devant nous.

— Ne dis pas ça, Ana, tu verras, tout finira par s'arranger. Il ne faut pas se décourager maintenant que le pire est passé.

Ils étaient dans le noir de la chambre d'Ana. Dans le noir de la chambre aux rideaux fermés d'Ana Stein. Après qu'il eut dormi une semaine au salon, elle avait enfin consenti à ce que Gabriel couchât à ses côtés. Il se fit une pause dans le dialogue, puis le bruit d'un soupir qui venait d'une poitrine désabusée, celle d'Ana Stein — bien entendu —, et le ton de nouveau grave, mélancolique, de quelqu'un pour qui l'absence d'avenir était comme une promesse de bonheur :

— La part du pire, notre part à nous deux, voilà tout ce qui nous reste, Gabriel.

— Je ne comprends pas. Qu'est-ce que tu veux dire au juste, Ana ?

— Pourquoi un sentiment n'est-il jamais pur ? Pourquoi faut-il qu'il se décompose à mi-chemin ? Pourquoi l'amour, dès qu'il est intense et intransigeant — intègre, quoi —, doit-il aboutir au désespoir ? Pourquoi cette obscurité après une lumière qui affrontait sans rechigner celle du soleil ?

Le chapelet interminable de questions d'Ana Stein, les grains de plus en plus durs et compacts de ce chapelet sur fond gris, ses interrogations interminables à travers lesquelles le désenchantement et la douleur se frayaient un chemin. À qui exactement adressait-elle toutes ces questions ? Qui était réellement le destinataire de tous ces mots dont Gabriel ne comprenait pas forcément le sens ? Et si au fond il n'était qu'un passeur pour elle ? une sorte de pont entre deux rives irréconciliables ? Il faillit lui faire le récit de sa rencontre fortuite avec Marcela Briuolo au bord de la rivière Rideau, mais la perspective de reconnaître son mensonge l'arrêta net. Puis, qu'est-ce qu'il aurait fait du baiser sur les lèvres au moment du départ ? Comment lui expliquer cette lâcheté subite devant le corps alléchant, tout en rondeurs de la Dénoueuse ? En prenant le dernier verre, Marcela Briuolo avait dû remarquer le peu d'empressement qu'il montrait à rentrer chez lui. Aussi s'était-elle aperçue de l'intensité avec laquelle il regardait sa poitrine lorsqu'elle s'était penchée pour lui servir du vin. Pris au dépourvu par le décolleté prononcé qu'elle avait exhibé en ôtant son manteau d'hiver, et le vin aidant, il avait bien fallu qu'il renonçât à tenir en laisse ses deux yeux pendant toute la soirée. Sous la seule lampe du studio, la pâleur morbide des seins de la jeune femme l'attirait

et le repoussait tour à tour. Au moment du départ, il comptait l'embrasser sur la joue quand la bouche gourmande de
Marcela était venue mêler les cartes. Puis ses mains, en un
clin d'œil, lui avaient déboutonné la chemise. Alors il avait
cru comprendre pourquoi Toribio Schmidt lui avait collé
un sobriquet aussi explicite.

— Gabriel?

— Je t'écoute, Ana.

— Si j'étais à ta place, je déménagerais à la cloche de
bois avant qu'il ne soit trop tard.

— Es-tu folle? Jamais au grand jamais, m'entends-tu?
je ne te laisserai seule, Ana. Avant de te rencontrer, je ne
savais pas qui j'étais. J'errais comme un zombi au milieu
des autres zombis.

Il y eut un long silence, puis la voix grave d'Ana Stein
résonna dans le noir :

— Il va falloir alors que je te tue, Gabriel, pour que tu
te réveilles.

Épilogue

Ana se leva tôt et de bonne humeur. Après plusieurs nuits d'insomnie, elle avait enfin réussi à dormir sept heures d'affilée. Ses yeux étincelaient dans la cuisine autour des chromes du percolateur. Il y avait du café et des tranches de pain grillé qu'elle tartinait avec de la confiture de mangues. Elle savait que Gabriel aimait la chair parfumée de ce fruit dont le jaune tape-à-l'œil contrastait si fortement avec le côté croque-mort du café noir. Ce fut sa manière de lui faire savoir que le petit-déjeuner, ce matin-là, aurait une saveur migrante, une touche d'exotisme sans laquelle le réveil manquait de piquant.

— Qu'elle est bonne, la mangue! dit-il, mordant à pleines dents dans la tartine de confiture préparée exprès pour lui.

— Profites-en parce que c'est le dernier pot qu'il nous reste.

— Tant que j'aurai tes baisers, nul besoin d'aller au supermarché, Ana.

Les grands yeux noirs d'Ana Stein le fixèrent avec un brin de tendresse. Puis elle dit :

— Des baisers volés, Gabriel, ne l'oublie pas. Mais tôt ou tard, il va falloir que tu passes à la caisse.

Sa voix grave et sensuelle le fit frémir. Il banda en prenant son café. Aussi se débrouilla-t-il pour éliminer de la conversation tout ce qui aurait pu la faire déraper. Voilà pourquoi il ne dit rien au sujet de sa dernière rencontre avec Marcela Briuolo chez Chapter's. C'était lors de cette rencontre que Gabriel lui avait annoncé sans ménagement qu'il comptait ne plus jamais la revoir à Ottawa. Pas l'ombre d'un mot à Ana non plus sur le projet d'une visite au chalet dans les Laurentides, où le Consul avait fait son dernier tour de piste. Ce projet décidé sur un coup de tête devait se concrétiser la journée même. Marcela voulait absolument être présente sur les lieux, mais elle s'y rendrait par ses propres moyens, directement de Montréal après avoir passé la veille à travailler pour un hôtelier grigou du Vieux-Port qui la payait au noir. Marcela l'attendrait donc sur place. Gabriel se garda également de rapporter à Ana les propos émis par l'ex-assistante de Toribio Schmidt à son sujet. À quoi bon l'inquiéter avec des insinuations saugrenues et dont il se souciait, tout compte fait, comme d'une guigne ?

Avec sa tasse de café à la main, il suivit Ana dans sa chambre qui baignait encore dans la pénombre. Puis, à genoux sur le plancher de bois, il caressa ses cuisses tièdes tandis qu'elle s'habillait avec une lenteur gourmande. Il comprit que cette lenteur, inédite chez elle, était aussi un don qu'elle lui consentait. À l'aide de sa langue tout imprégnée de confiture, Gabriel dessina des hamacs au parfum de mangue sur les fesses fermes et bien potelées de la jeune femme. Puis, attentionné et tendre, il lui enfila une culotte Murex achetée la veille dans la seule rue piétonnière de la ville. Il ferma ensuite la fermeture éclair d'un tailleur gris fantôme, nacré, moulé et luisant comme un costume de toréador. Murex, le mot était gravé en rouge sur le fond noir de la soie. La propriétaire de la boutique, une Égyptienne dodue et délurée, avait tenu à informer le client qu'il s'agissait d'un mollusque à coquille épaisse — hérissée d'épines — dont les Anciens tiraient la pourpre. Il avait payé quatre-vingt-cinq dollars canadiens de son héritage argentin pour ce slip haut de gamme qui aurait bien mérité de figurer dans le *Petit Robert des noms propres*.

Avant d'aller au bureau, Ana — dans un geste dont Gabriel n'oublierait jamais la spontanéité — se colla tout contre lui. Trop ému pour dire un mot, il l'embrassa sur la bouche.

— Aujourd'hui, n'oublie pas, c'est le départ de l'attaché culturel, et je rentrerai très tard. Ne m'attends donc pas pour le souper, le prévint-elle, reprenant son souffle.

Il la vit se perdre dans l'escalier étroit et obscur qui conduisait au garage de l'immeuble. Il referma la porte. À ce moment-là, le corps d'Ana Stein acquit plus de consistance que si elle était en chair et en os à ses côtés. Il dut s'appuyer contre le mur pour ne pas perdre l'équilibre. Enfin, il songea à elle avec l'impression d'ivresse qu'on a après une nuit à la belle étoile. Seuls les astres avaient, en effet, ce pouvoir de régénérer l'amour, réfléchit-il, ému. Il se recoucha, avide de recouvrer la chaleur du corps d'Ana dans le lit. Les draps conservaient le parfum à la lavande dont elle aspergeait la chambre à chaque réveil. Ce geste presque maniaque, qui cherchait peut-être à effacer les moindres traces de leurs ébats nocturnes, ne le dérangeait plus. D'une manière ou d'une autre, il avait fini par accepter le besoin qu'elle éprouvait de s'entourer de rituels sans lesquels le monde devenait beaucoup plus difficile à apprivoiser. Il ferma les yeux et le tout dernier corps d'Ana Stein, généreux et capiteux comme un vin qui se boit chaud, refit surface dans sa mémoire.

À neuf heures pile ce matin-là, Gabriel — décidé enfin à connaître le lieu où le meurtre du Consul avait été commis — se présenta à l'agence de location de voitures pour

prendre possession de la Subaru Impreza à traction intégrale conseillée par Marcela.

Un employé au visage buté lui remit les clés du véhicule après avoir rempli la paperasse d'usage.

Gabriel quitta l'agence de la rue Bank à neuf heures
trente avec le soleil à l'horizon et une température à la
hausse. Une fois engagé sur la 40 Est en direction de
Montréal, il mit les lunettes de soleil Calvin Klein ayant
appartenu à son père. Elles lui avaient été remises par la
police avec d'autres effets personnels jugés non essentiels à
l'enquête. Il se regarda dans le miroir : racées, bleu tur-
quoise, design à l'italienne très tendance, elles lui allaient
bien. Il éprouva un sentiment de satisfaction. C'était un de
ces rares jours où, entre sa tronche de métèque et lui, le
courant passait. Puis ce soleil radieux justifiait pleinement
son accoutrement d'acteur de film de série B. Ce n'était pas
non plus le moment de se brûler les rétines alors qu'il allait
enfin connaître la colline ayant été témoin du meurtre du
Consul. Marcela Briuolo lui avait révélé qu'elle avait loca-
lisé l'endroit à la demande expresse de Toribio Schmidt, à
l'époque où il était son patron. Devant sa surprise et un
début d'indignation pour la forme, elle avait argumenté
que Toribio le trouvait sympathique et qu'il voulait l'aider.
Pourquoi avait-il accepté sur-le-champ la proposition pour
le moins surprenante de Marcela Briuolo ? *Je crois qu'il est
grand temps que tu te rendes au chalet où ton père est mort,*
avait-elle suggéré de sa voix mélodieuse. Sans y réfléchir à
deux fois, il avait fait oui de la tête, comme si la chose allait
de soi. Le fait que Marcela allait être sur place le rassurait
également. Être seul dans ce lieu retiré des Laurentides ne
l'enchantait guère *a priori*. Il se demanda par la même
occasion si ce n'était pas également sa manière de prendre
un dernier congé de l'homme ayant toléré sa venue au
monde. À vrai dire, il n'en savait strictement rien, et puis à

quoi bon se casser la tête alors que l'instinct avait déjà dit son dernier mot ?

Il avait épinglé le papier contenant l'itinéraire fourni par la jeune femme sur le tableau de bord de la Subaru Impreza à l'aide d'une pince à linge qui, bizarrement, traînait dans la boîte à gants du véhicule. Avant d'arriver à Montréal, il s'arrêta dans un restaurant au bord de l'autoroute. Il mangea un sandwich au jambon et fromage tout en étudiant les indications précises consignées sur une serviette portant le logo de Chapter's. *Je te pardonne de m'avoir embrassée sur la bouche sans m'avertir que c'était juste pour passer le temps*, lui avait-elle susurré à l'oreille au moment de la lui remettre.

Il abandonna le restaurant avec un grand verre de café américain fumant. Ça lui réchauffait les mains, et c'était là toute son utilité. L'itinéraire méticuleux, voire tatillon, concocté par la main efficace de Marcela, la Dénoueuse, mentionnait tous les patelins s'égrenant comme un chapelet jusqu'à la montagne. Tout s'était mis en place pour qu'il ne rate pas son rendez-vous avec elle au pied de la colline. Pendant qu'il traversait la rivière des Prairies, le souvenir du corps pulpeux de la jeune femme avait gagné en intensité. À présent, il se repentait d'avoir mis un terme à leurs relations intimes d'une manière aussi brusque. Il regretta que Marcela ne fût pas à ses côtés pendant le trajet, mais elle lui avait assuré qu'elle serait à l'heure dite tout près de l'embarcadère depuis lequel on pouvait distinguer le chalet au sommet de la colline. L'autoroute des Laurentides était dégagée. Le CD d'un Vivaldi quatre saisons luttait héroïquement pour mettre en sourdine le moteur braillard de la traction intégrale nippone. Ça lui faisait du bien de mettre le cap sur la montagne. En Argentine, c'étaient les sierras de Córdoba qu'il visitait quand la chaleur devenait étouffante, l'été, dans la capitale. Le jour où

son père l'y avait emmené pour la première fois représentait la seule parenthèse joyeuse que s'accordait sa
mémoire avant de céder au ressentiment. Sans qu'il s'en
aperçoive, le temps argentin avec ses hauts et ses bas se
glissa dans la cabine. Il remercia Marcela d'avoir pensé à
une traction intégrale à prise constante pour l'aider à
surmonter tout ça. Le paysage des deux côtés de l'autoroute se replia comme un de ces lits escamotables que l'on
oublie pendant la journée. Le temps local rentrait dans sa
coquille, et, miséricorde infinie, Gabriel sentit que, pour
une fois, la mémoire n'était plus un obstacle. Il sortit à
Saint-Sauveur-des-Monts pour prendre la 364 menant à
Morin-Heights. Puis il appuya sur l'accélérateur avec un
enthousiasme qui l'étonna lui-même. Il fallait dépasser le
lac Gémont avant de s'engager dans une montée abrupte.
Le quatre-quatre grimpa allègrement en dépit de quelques
accumulations de neige qui sillonnaient la route. Au bout
d'un sentier sinueux, le lac apparut. Impossible de ne pas
le reconnaître avec les escarpements et les précipices qui
l'entouraient de tous côtés. Des blocs de glace flottaient à la
surface comme des albatros couchés sur le dos. Plus qu'un
lac, on aurait dit un œil de cyclope incrusté au milieu d'une
forêt de talus. Dès son arrivée, Gabriel se mit à chercher la
plage de sable sur laquelle les baigneurs avaient été
témoins de l'ascension de son père. Avec dix minutes de
retard, il s'achemina vers le lieu fixé pour la rencontre. N'y
trouvant pas la jeune femme, il pensa qu'elle l'attendait
probablement sur la terrasse. Le besoin urgent de voir de
près le chalet d'où étaient sorties les balles qui avaient eu
raison de la vie du Consul exacerba le vrombissement dans
ses oreilles. Par trois fois, il aspira à pleins poumons l'air
vif et piquant se dégageant du lac. En vain, son regard
essaya de l'embrasser dans sa totalité. Il se retourna vers la
falaise et fixa le talus escarpé sur lequel s'accrochait l'esca-

lier. D'un pas ferme, il déserta la rive pour enfiler l'escalier en fer, tortueux et abrupt, qui conduisait au chalet. Il attaqua les premières marches sans trop de difficulté mais, dès que la raideur de la pente se fit sentir, son allure se ralentit comme si on avait lesté ses épaules d'un poids supérieur à ses forces. À mi-chemin, il s'arrêta net et il regarda en arrière. On ne voyait toujours personne sur l'embarcadère, et la plage de sable en face s'irisait au soleil comme un verre de cristal qu'on aurait laissé tomber du haut des falaises. Une inquiétude subite s'empara de lui : et s'il s'était trompé de lieu ? Il chercha en vain le croquis détaillé du lieu de la rencontre dans les poches de son veston. Il repoussa l'idée de retourner à la voiture, reprenant sa pente avec le geste de quelqu'un qui porte une croix sur le dos. Tandis que son cœur battait à tout rompre, il atteignit enfin la terrasse. À ce moment-là, il la vit, un revolver à la main, debout sur le seuil de la porte qui donnait accès au chalet. Il comprit sur-le-champ que son rendez-vous ne pouvait être qu'avec elle. Marcela n'avait donc été qu'un instrument. Il poursuivit sa marche, persuadé que plus rien ne serait en mesure de modifier la trajectoire des balles qui lui étaient destinées. Alors il songea à son père et au désespoir qui avait dû lui serrer la poitrine au moment où il s'était aperçu que ses pas étaient comptés. Pour la première fois, il eut du chagrin pour lui. Il pensa aussi que tout n'était qu'un malentendu, mais rien n'avait plus d'importance. Tandis que le regard d'Ana Stein, froid et insaisissable, était braqué sur le lac, tout à coup, devant la porte principale, il tourna les talons, accusant l'impact de trois détonations dans le dos. Puis Gabriel marcha en titubant jusqu'à une balustrade en bois, et, tout comme un pantin qui cherche en vain à s'approprier les fils qui l'animent, il se précipita dans le vide.

Dans la même collection

DANGER

LE
PHOTOCOPILLAGE
TUE LE LIVRE

Cet ouvrage
composé en Palatino corps 11,5 sur 14,5
a été achevé d'imprimer
en mars deux mille six
sur les presses de
HLN
Sherbrooke (Québec), Canada.